翻轉學

翻轉學

我們
為什麼要閱讀？

在資訊爆炸的年代，
你更要知道自己在讀什麼？
怎麼讀？為何而讀？

荒木博行　著
姜柏如　譯

前言

與書本的相處之道

歸根究柢，閱讀法是因人而異的。

這是我經常被請教「**閱讀**」的相關問題時，最直接的感想。雖然對於期待聽到超強閱讀術的讀者來說，這個答案並不中聽，卻很中肯。

約莫三、四年前，我的職涯才多了「閱讀」這個職能標籤。在那以前，我是商學院的講師，同時也負責線上課程規劃，以及論述經營戰略。直到我在二〇一八年出版

《一目了然的商業書圖鑑》後，「閱讀」的職能標籤才顯化在我的職涯上。

後來，我也跨足營運書摘服務網站 Flier，同時在網路聲音廣播平臺 Voicy 開設《荒木博行的 book café》節目，每天早上都在介紹書，所以有很多機會讓大家認識到自己「讀書人」的身分。

雖然我這麼做，純粹是出於閱讀的習慣，並非是為了迎合他人的眼光，但許多人紛紛開始請教我像「傳授高效的閱讀法」和「分享推薦書單」等與閱讀相關的問題。但是這些問題，真的很難回答。

畢竟「閱讀法」會因為閱讀目的跟人的個性有所不同。有人偏好做筆記，也有人熱衷速讀法。每個人的知識水準和興趣，也會大幅影響適合自己閱讀的書籍主題。

即使我突然推薦大家去看康德（Immanuel Kant）的著作《純粹理性批判》（*Kritik der reinen Vernunft*），想必也是對牛彈琴吧。就跟電商企業的經營策略和化工業的經營策略截然不同一樣，閱讀論也是因人而異。

然而「閱讀法是因人而異」的答案幫不了大家。而且大家來找我以前，也心知肚明這一點，卻還是會不死心地問我：「我知道是因人而異，但你多少能提供些建議吧？」這種互動模式使我倍感困擾，簡直像霸道的大叔對搞笑藝人說：「你不是藝人嗎？快逗我笑！」雖然情況可能不太一樣，但我著實感到有點頭大。

為了解決這種麻煩的局面，我想借助《SHIFT：創新規則》這本書的概念。以商業設計師的身分，活躍於世界舞臺的濱口秀司先生，曾在該書提及企業應有的教育課程，以下這段內容是在說明如何打破教育悖論。

我的教育課程會遵守以下兩項原則進行：

- 隨機秀出環節
- 讓學生看不清全貌

（中略）想必學生會覺得「雖然每個環節都聽得懂，卻無法看清整體全貌」，因為靠自己絞盡腦汁思考全貌至關重要。

所謂的教育悖論，就是「老師教得越淺顯易懂，學生越不會動腦思考」的矛盾。

如果老師手把手親自示範，學生就會毫不批判地吸收知識，最終淪為「老師的劣化複製品」。

因此教導他人時，不能讓學生看清全貌。如果用奶油蛋糕來比喻，全貌就像是草莓，是奶油蛋糕的醍醐味。老師進行教學時，不應該剝奪學生去做能帶來最佳教育成效的行為，也就是「思考事物全貌」

我從濱口先生的教育方式，發現能解決「閱讀法是因人而異」的線索。

換句話說，老師向學生展現各環節（零件、成分、構成要素）的同時，替全貌預留想像空間，或許就能克服這個難題吧。憑藉讀者的**思考力**，或許能衍生出幾乎適用於各種情況的萬應閱讀法吧……

因此，本書不會告訴大家如何閱讀，邏輯理論也是隨機出現，部分內容甚至存在重複與矛盾之處（所以各位讀者挑自己感興趣的章節閱讀就好）。

所以，期待在本書看到「高效率讀書的五個步驟」、「為您揭露閱讀最大的祕密」等諸如此類速效性的應用知識，也就是俗稱「閱讀法」的人，恐怕會大失所望。

本書偏向探討抽象程度更高的問題——**如何與書相處**。只要各位讀者讀完後，產生「雖然能懂你想表達什麼，但具體來說該怎麼做？」的疑問就好。因為這個疑問，正是蛋糕上的草莓，也就是閱讀的醍醐味。

然後請各位讀者，使用那顆根據自己生活方式和人生舞臺培育出來的「草莓」，創造一塊與眾不同的奶油蛋糕吧。當然口味也不限於草莓，也可以是葡萄或橘子（雖然橘子感覺有點酸，但也有人喜歡那種酸味吧）。

《我們為什麼要閱讀？》這個書名，其實是對「用他人的頭腦思考」的警語。

我們總會在無意間，不加批判地全盤接受書中內容，如果這樣做就是用他人的頭腦思考，那麼本書也不能免俗地要成為讀者們的批判對象。若本書能引導讀者萌生「雖然這是荒木的看法，但我的想法是這樣」的觀點，那就再好不過了。

非常歡迎大家針對本書內容提出不同看法和新建議。正如本文所述，「**懷疑**」是閱讀時不可或缺的存在。讀者不是無條件對於作者的想法照單全收，而是提出嶄新的「**問題**」，然後進行腦力激盪。

各位準備好了嗎？快來閱讀本書，締造專屬個人的嶄新篇章吧。

CONTENTS 目錄

●前言——與書本的相處之道 3

序章 在快速變化的時代，閱讀的重要性

我們在同一艘巨型油輪上 17
追求將過去抽象化的能力 22
裝幀師的悲劇 25
AI無法模仿的「抽象力」 28
抽象化不是煞有其事的心血來潮 30
懶惰的抽象化會扼殺組織 32
感謝生在「書本」存在的時代 35
邁向「終身娛樂挑戰」的大門 38

第 1 章 我們為什麼要讀書？

——透過書本學習的真正意義

書的最大魅力，就是毫無魅力 43
引人入勝的思考餘地 47
保持覺察，才能讀有所得 50
不要突然施展「必殺技」 54
讀者是賦予書本生命的人 57
閱讀內容的同時，也不忘「閱讀情境」 62
越是痛苦煎熬，越是最佳的閱讀時機 66
跳脫思考框架，隨心所欲的閱讀 69

第2章 如何挑選書？
——讀什麼書，應該問問自己

針對「問題」的三種選書法 75
從根本上撼動讀者的「發現問題之書」 79
賦予不同看法的「發現答案之書」 86
鞏固世界觀的「既知提醒之書」 90
打造自己的閱讀書單 95
與其讀萬卷書，不如發現一個「好問題」 100
因應「人生階段」調整閱讀清單 102

第3章 如何閱讀一本書？
——用書本培養「問題」

改變「知識輸入」和「知識輸出」的順序 107

替相異之人開通航線的能力 112
抽象化能提升學習的層次 115
提高問題的抽象度，開啟學習的大門 120
克服閱讀的最後一哩路 124
用「也就是說」和「打個比方」練習思考的往返力 127
來回具體與抽象之間的「三角跳思考」 132

第4章 你也有「閱讀病」嗎？——關於閱讀的無謂努力

閱讀是沒有捷徑的 141
堅持把書從頭到尾讀完的「完讀症」 144
打造「集體圖書館」 148
不允許自己見異思遷的「專一症」 152
對買書不讀有罪惡感的「囤書症」 155

囤書空間也是私人棲地　157
流於武斷學習態度的「實用症」　162
一成閱讀人都有的「沒時間症」　166

第5章　閱讀有用嗎？
——避免目標導向的閱讀

獲取資訊的閱讀vs.培養獲取資訊眼光的閱讀　171
「閱讀有用嗎？」是毫無意義的問題　173
重新肯定「不認真」　176
雪花球閱讀理論　181
死去的沉澱物vs.活著的沉澱物　185
用適合自己的方法，將知識「銘刻於腦」　187
用輕鬆的心態閱讀，才能將知識「冷藏封存」　190
透過「產生連結」來攪拌腦袋　193

第6章 閱讀就是活著

讀而不思則罔 197
掌握「狂熱」和「疑惑」的理想平衡點 200
控制問題的方向性 203
疑惑會催生嶄新自我 206
令人始終存疑的「消極感受力」 210
越來越多人忘記懷抱疑問的重要性 213
「平凡的邪惡」會讓人忘記懷疑 215
質疑「存在」的價值 219

●結語——「用閱讀開拓新道路」的真正意義 222
●附錄——塑造自我的閱讀清單 227

序章

在快速變化的時代，閱讀的重要性

那位哲學家的作品，摧毀了基督教幾世紀累積的部分智慧。雖然神父們總是告誡人們留意**神之話語**的威力，但波愛修斯只是為**那位哲學家**的作品加以評註，頓時把**神之話語**的玄妙神性，拉往人類戲謔仿作的範疇與三段論法之中。

——安伯托．艾可（Umberto Eco），
《玫瑰的名字》（*Il nome della rosa*）

我們在同一艘巨型油輪上

如今，世界正迎來重大轉折點。蔓延全球的新冠疫情自不必說，過去也由於地球暖化，造成全球各地發生氣候變遷、極端氣候等無法預測的現象。綜觀社會問題，也能預測出人口增長導致地球資源不足，日本等先進國家高齡化跟少子化也亦發嚴重。

此外，科技的顯著進步，為人類的工作和生活帶來巨大變革。像是人工智慧（AI）、大數據和物聯網（IoT）等新名詞也紛紛問世。隨著工作模式趨於多樣化，終身雇用制[1]和年功序列制[2]等舊制度也被重新審視，甚至婚姻制度、家庭觀和生活方式也產生了巨大的轉變。

由此可見，現今的情況變化莫測，也可稱作是「VUCA時代」（Volatility〔變動性〕、Uncertainty〔不確定性〕、Complexity〔複雜性〕、Ambiguity〔模糊性〕）。

換句話說，就是**無法預測未來的時代**。

但冷靜思考就會發現，這種情況也不是現在才有。

從古至今，人類並非是活在既知的世界，而是活在無盡的「未知」之中。回顧歷史就能明白，即使世間一切都是已發生的事實，但從過去望向的未來，始終是未知的混沌世界。

既然如此，為什麼當今世代要進一步被稱作VUCA呢？

●屏障消失，密切相連的世界

「全球化」和「自由化」成為了一大關鍵。

知名投資家、評論家兼哲學家的喬治・索羅斯（George Soros），在二〇一〇年上映的紀錄片《黑金風暴》（*Inside Job*）提出了精闢的比喻。索羅斯認為，現代社會寬鬆的金融管制，猶如一艘「少了安全屏障的巨型油輪」。油輪能夠穩定航行，是因為油箱彼此有隔開，這樣遇到大浪來襲，就能減輕油箱內部受到的衝擊，避免燃油劇烈搖晃，造成船隻傾覆。

索羅斯聲稱，寬鬆的金融管制，形同拆掉了市場上所有的屏障。人們秉持「消除屏障，擴大市場才算是公平」和「有了屏障，大家就會各自為政，導致全球經濟停滯」等邏輯，把屏障破壞殆盡。但就結果而言，密切相連的廣大世界，彷彿少了安全屏障的巨型油輪般不穩定。

註1：日本特有的雇傭制度，意指企業正式員工享有終身受僱的保障。

註2：根據公司年資和職位訂立薪資，通常年資愈長薪水愈高。

回顧歷史會發現世界確實從未像現在這般，毫無屏障地密切相連。

遙想繩文時代（西元前一萬八千年～西元前三百年，為日本舊石器時代末期至新石器時代）的地域性極強，幾十公里外的村落往往就是另一個世界，彼此井水不犯河水（但我畢竟沒親眼見過，正確性也不得而知）古人只需要去了解、吸收自己所屬社會群體中，所經歷的幾代變化就好。當時的世界就像是被分成無數個變化速度緩慢的小包廂。

但如今世界已走向全球化和自由化，跨國交流也相當活絡。這意味著巨型油輪的安全屏障已被拆除，陷入了動盪不安的狀態。在少了屏障的世界，各國政經發展給全球帶來的影響，往往是牽一髮而動全身。

氣象學家愛德華．羅倫茲（Edward Lorenz）發現，初始條件的極小偏差，都會大幅影響到氣象預報的結果，於是他將這種現象稱作「蝴蝶效應」（Butterfly effect），亦即蝴蝶拍動翅膀般的細微動作，都足以影響世界。也就是說，生活中微瑣卻不為人知的小事，都有可能撼動世界。

截至昨天還被視為至關重要的東西，轉眼間就被巨浪吞沒，消失在人們的記憶中。無庸置疑地，這股巨浪並非單一國家或地區能控制。網際網路泡沫[3]、雷曼兄弟破產[4]、新冠肺炎疫情在全球大爆發等，正是世界的安全屏障消失的確切體現。古代需要耗費萬年才會引發的變化，到了現代，正以天為單位在發生。

註3：dot-com bubble，指一九九五年至二〇〇一年間發生，與資訊科技及網際網路相關產業的泡沫化衍生的金融災難事件。

註4：美國投資公司雷曼兄弟宣告破產，引發二〇〇八年全球金融海嘯。

追求將過去抽象化的能力

由此可見，我們身處在無法預測的世界。

這也意味著，**身處在瞬息萬變的時代，光是對照過往經驗，也無法得出答案**。常言道，鑑古觀今知未來。繩文時代的人，靠老祖宗代代相傳的智慧，就能解決眼下問題（真實性尚待考證）。換作是變化翻天覆地的現代，別說是老祖宗的智慧，就連幾週前的經驗，都未必能再次生效。無論錄影帶拍攝的內容有多珍貴，如果不能轉成藍光播放機能支援的影音格式，也是無法觀看，形同廢物的存在。

讓我用更淺顯易懂的例子來說明吧。

假設你全心投入棒球，每天早上都在練習揮棒和接球，在略有小成的時候卻被告知：「礙於某國規定，日本也開始禁止棒球這項運動。所以從明天起，你改踢足球吧。」姑且先不談為什麼有這麼荒謬的命令。在這種情況下，你過往在棒球累積的技能和經驗，豈不是變得毫無意義？

可想而知，像接球和打擊等實戰技巧，頓時也變得毫無用武之地。但改踢足球後，若還是成天把球棒的正確握法、手套該怎麼用的棒球經掛在嘴邊，會顯得很落伍，更有可能被這個時代所淘汰，還不如趕快去精進足球的球技。

然而，如果我們懂得抽象思考，就會發現無論是棒球還是足球都有個相同的邏輯，就是透過球讓我隊比敵隊多得一分，是贏得比賽的關鍵。換句話說，「獲得比對手更多分數的技能組合」的原理還在。

因此，**不管經歷多大的變化，只要賦予抽象概念更高層次的意義，就能不受過去所束縛**。例如，「資源整合能力」、「複雜情勢的解讀能力」、「當機立斷的判斷力」

等概念加以改良後，就能繼續靈活運用。

克服外在環境變化的關鍵在於「**抽象思考力**」。面對棄棒從足的事實，若是從具體層面來思考，會認為這是快速且毫無關係的改變。但從抽象層面來思考，一旦得出「棒球和足球同是球類的團隊運動」的結論後，就會覺得這是緩慢且具有連貫性的變革。

雖然時代變化莫測，但辛苦累積的經驗一夕化為烏有就不妙了。所以，使過往技能組合能永續活用的能力很重要。

為此，我們必須**從過往經歷中萃取精華，認清其本質，活用於未知的世界**，關鍵就是「將過去抽象化的能力」。

裝幀師的悲劇

日本企業的退休年齡，將來肯定會逐年提高。法定的退休年齡已從六十五歲延至七十歲，未來應該會延長到七十五歲。部分公司甚至把退休年齡延長到八十歲。退休年齡被延長的這個事實，也意味者大家在人生中經歷世界規則變動的次數只會更多。

對於年屆四十的人來說，若法定退休年齡是六十歲，代表還要再當二十年的上班族，搞不好會經歷兩、三次世界重訂規則的情況。假如法定退休年齡是八十歲呢？就得當四十年的上班族，人生中面臨的變數，當然不會只有兩、三次次，起碼會是目前的兩倍甚至更多。而且世界規則變動的次數，會隨著世界變化的加速而增加。

今後，世界轉變新規則的頻率只會一再地加快，過度拘泥於既有實際做法和手段的人，會活的很辛苦。

不必說，適當的做法因時代而異，兩者關係密不可分。可惜時代不會為任何人停下腳步，唯一能掌握的只有做法，導致我們往往會錯把實際做法當成追尋的目標。

這是在任何團隊內都會發生的現象，我稱之為「裝幀師的悲劇」。

過去需要紙本的年代，有份職務的工作內容是專門裝訂紙張。當時紙張是必需品，需要有人將紙張裝訂成冊才能閱讀。然而被指派負責裝訂的人，卻與時代脫節，開始對裝幀的方式越來越吹毛求疵。像是「最近菜鳥的裝訂角度很糟糕」、「裝訂速度太慢」等，卻無視這個世界正逐漸邁向無紙化。

也許在需要紙本的年代，那位裝幀師會被視為是業界首屈一指的優秀人才，但他卻被裝訂這個具體任務蠱惑，放棄去質疑「我是為了實現什麼目的才採取這個手段」。這就成為了問題所在。

如果他沒有聚焦於「裝訂紙張」的實質層面，而是透過自己的抽象認知，賦予工作本質的另一層意義：用淺顯易懂的方式提供他人資訊，想必就能與時俱進。

受到實際做法蠱惑，疏於抽象思考的人，就會陷入「裝幀師的悲劇」。

AI無法模仿的「抽象力」

為避免陷入裝幀師的悲劇，我們必須超越「實際做法的蠱惑」，對於事物根本意義進行更高層次的抽象化思考。

針對人工智慧領域最新狀況做研究的電腦科學家梅拉妮・米歇爾（Melanie Mitchell），於《人工智慧講義》（*Artificial Intelligence*）一書中提到，人類絕不會被人工智慧超越的優勢，就是抽象化和類比。

人工智慧透過深度學習展現一系列令人驚訝的成果後，人工智慧領域內外的多數專家都對此抱持樂觀看法，認為距離實現通用人工智慧的願景越來越近。然而，（中略）即便是表現最優異的人工智慧系統，也無法跨出自身狹隘的專業領域、抽象化事物和學習因果關係。

儘管許多人聲稱人工智慧等新技術可能會搶人飯碗，但我認為不盡然。與其說這是人工智慧帶來的風暴，不如說不合時宜的職業會消失，符合新時代的職業會應運而生，亦可解讀為「抽象部分沒有絲毫改變」。

從這個意義上來說，只要我們保有人類獨特的**思考能力**，就能與人工智慧共存，從事更有意義的工作。

所以我們要**持續不斷地將眼前具體事物抽象化**。提高思想的維度，乃是這個時代的當務之急。

抽象化不是煞有其事的心血來潮

然而抽象化從來不是件簡單的事，其中隱含著很多錯誤認知。

用先前和大家分享過的棒球案例來說明吧。我們把棒球累積的經驗，轉換為抽象化觀點：從事團隊運動、士氣必須高於敵隊，所以最重要的莫過於先發制人，壓制敵隊的士氣。

抽象化思考提高了棒球經驗活用在足球上的可能性，得出的看法似乎也合情合理

（這是我隨意編造的內容，所以僅供參考）。

但重點還在後頭。我們接著得驗證「抽象化觀點」是否經得起新時代的考驗，因此，我們得確認「是否有足夠的經驗去支持這個觀點」，還有「即便有足夠的經驗支持這個觀點，但它能套用在棒球以外的團隊運動上嗎？」

假設這個觀點只是基於某人上場打棒球的某次經歷，這樣非但不曉得它能否運用在棒球以外的團隊運動，甚至連是否能應用於打棒球上都無從得知。

所以，**實際經驗的數量及廣度**，**對於抽象化思考至關重要**。沒有經過這番思考歷程提出的觀點，充其量只是冠上「抽象化」名義，煞有其事的心血來潮而已。

為什麼我會這樣說呢？事實上，在變化莫測時代，「煞有其事的心血來潮」正破壞著組織。

懶惰的抽象化會扼殺組織

舉例來說，某間公司由於科技的進步，導致生意岌岌可危。於是公司內部想開創新的事業，解決這個困境，但主管卻對會議上提案的年輕人說：「最好不要做這門生意，我過去有類似的失敗經驗。」

儘管提出建言是件好事，**但重點在於，在這個觀點的背後，有多少經驗的數量與廣度支持。**

如果這位主管單純說的是自己某一次的經歷，那這個觀點，很可能會淪為不可靠的抽象化結論。也許他過往經手的事業，與年輕職員提案的新事業，是截然不同的規則和運作方式，無法相提並論。但公司多半會因為主管的位階和話語權，將「煞有其事的心血來潮」正當化。

相信大家應該聽過無數遍他人的老生常談，像是「不對，從我們那個年代的經驗來看……」、「泡沫經濟時也是如此，總之……」等。諸如此類的發言，也是用抽象化的經驗來談論現在。但時代瞬息萬變，不願去了解詳細的具體事實，只會用前例下定論，就會關閉溝通的大門。以故步自封的態度使用抽象化能力，甚至還自認是件好事，根本是百害無一利。

可怕的是，很多人往往在沒接觸具體事實的前提下，靠抽象化來終結對話。無視實際狀況，用存有偏見的抽象化結論拒絕溝通的態度，就是處在停止學習的怠惰狀態，只不過是種「知識的退化」。更可怕的是，為存有偏見的抽象化結論貼上標籤後，就會無意間強化它的影響力。

舉例來說，有人在心裡貼上「大公司的年輕職員多半狂妄自大」的抽象化標籤後，遇到大公司的年輕職員，只要剛好有人遞名片的方式不太禮貌，他就會透過少數偏頗的案例，持續加強這套論調。

有時給人貼上「男人就是這樣」、「畢竟是女人」、「因為是外國人」、「看來是南部人」等標籤，也會招來阻礙自由思考的先入為主的印象、偏見和歧視。

感謝生在「書本」存在的時代

因此我們必須勇於挑戰抽象化，然後持續捫心自問：「抽象化結論是否基於具體現實？適用範圍有多廣泛？」

不過大家難免會想反駁，每個人累積的經驗數量與廣度相當有限，這樣一來，豈不是都無法進行有意義的抽象化嗎？

其實這麼說也沒錯，用微不足道的個人經歷將事物抽象化，根本無濟於事。

而閱讀的意義，就在這裡。

書本充滿自己沒經歷過的，他人的真知灼見。這些人生的前輩們，對於鑽研學問的深度，還有挑戰研究的廣度，都是我們窮盡一生也達不到的境界，而他們的智慧經驗，都盡數收錄在書中。蓄積的知識量能追溯到兩千多年前，只要你想看，絕大多數的知識隨時唾手可得。

符號學家兼小說家安伯托．艾可（Umberto Eco）的暢銷小說《玫瑰的名字》（*Il nome della rosa*），以十四世紀的中世紀歐洲為背景，鉅細靡遺地描寫當時的人們獲得知識的途徑。

古代只有一小部分的特權階級才有資格獲得知識。市井小民只有在非常時期才會獲准。因為當權者認為，知識會削減既有的權力結構。所以很多時候，古人只能依循自己有限的經驗，還有從片面接收到的教義來看待世界。在當時，想抽象化既有的經驗，幾乎是不可能的任務。

然而，現代人獲取知識的途徑，方便到根本無法與過去的年代相提並論。當時人們不惜冒著生命危險也想獲得的知識，如今通通擺在書店。

放著「書本」這麼方便的工具不用，聲稱自己心有餘而力不足、沒時間閱讀，實在太可惜了。

身為現代人，我們不僅能依循自己的經驗，還能透過「書本」自由地借鏡前人經驗。這是多麼難得的事情。

只有抽象化才能應付這個瞬息萬變的時代，而且有心隨時都辦得到，同時抽象化的思維，也會影響你今後會採取的行動。

邁向「終身娛樂挑戰」的大門

在序章的最後，我想介紹這本《別想擺脫書》（*N'esperez pas vous debarrasser des livres*）。

本書收錄了先前介紹過的安伯托．艾可與作家尚—克洛德．卡里耶爾（Jean-Claude Carriere），兩位重量級書癡關於閱讀的心得交流。卡里耶爾在書內曾提到：

我們都被判處學習的無期徒刑。

直到一百年前，除了繼續讀大學的部分菁英外，年滿十八歲或二十歲學完基本教育後，就沒必要繼續學習了。在少有變化的年代，向子孫輩傳授知識的老人是擁有深遠影響力的重要角色。

但是，如今已來到持續革新變化的現代，即使成年了也必須孜孜不倦地學習。卡里耶爾基於這種文化背景，將該現象稱為「學習的無期徒刑」。

我在理解卡里耶爾的意圖後，忍不住想出言反駁：學習絕不是種「刑罰」。「刑罰」這個詞帶有痛苦和嚴厲的含意。當然，若是像學校那種填鴨式教育，難免會與負面詞彙聯想在一起。

然而，若是對於自己觀察到的「問題」，自行思考出「答案」，從中獲得「因為有這個結構，所以世界才會長成這樣！」等專屬於自己的「覺察」……這個腦力激盪的過程，應該是種無可取代的娛樂吧。

想像前方有兩道門，分別是「學習的無期徒刑」和「終身娛樂挑戰」，大家會選擇哪扇門呢？

雖然在充滿變化的時代，充斥著各種必須學習的新知，既然逃不過學無止盡的命運，不妨對於「持續學習」樂在其中吧。

所以在本書中，我們將探討在這個變化多端的時代，**如何藉由閱讀，快樂學習的方法**。

歡迎各位通往「終生娛樂挑戰」的大門！

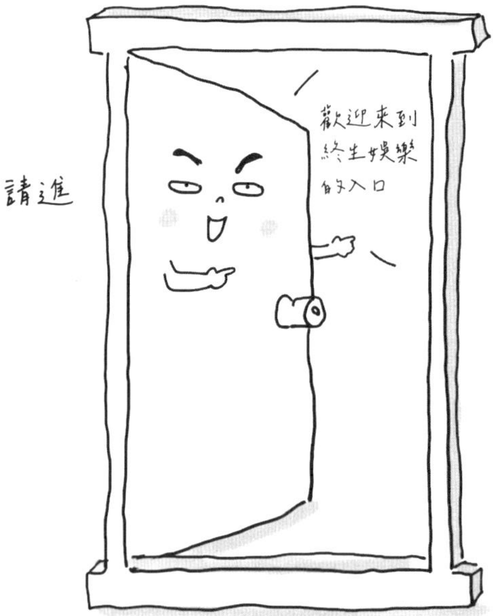

第1章

我們為什麼要讀書？

透過書本學習的真正意義

蘇格拉底不知道閱讀文字的核心秘密，也就是閱讀文字，會為大腦爭取更多深入思考的時間。普魯斯特跟我們都明白這一點。**超越思考的時間**，是大腦閱讀文字的最大功績，也是生命玄妙的無形贈禮。

——瑪莉安．沃夫（Maryanne Wolf），
《普魯斯特與烏賊》（*Proust and the Squid*）

書的最大魅力，就是毫無魅力

承序章所述，「抽象化」是我們在變化多端時代賴以維生的能力，而且能透過閱讀來獲得這股力量。

但說到底，「閱讀」的特徵是什麼？本章想停下腳步，重新審視這個問題。

近年來，獲取資訊的方法相當複雜。除了電視和廣告，像是網路媒體、YouTube

和線上讀書會等輔助學習的管道，也如雨後春筍般出現。也就是說，現在的學習手段相當多元化。

上個世代的媒體不像今日如此發達，自學的工具唯有書本，所以老一輩總是會告誡年輕人要多讀書。然而現代的年輕人漸漸認為，學習不需要拘泥於紙本閱讀，像是YouTube等網路影片，可提供大家更即時、更淺顯易懂的學習管道。在不久的將來，融入虛擬實境（VR）和擴增實境（AR）等高端科技的新型態教育也將蔚為主流。

這樣看來，難道書本已成為過時的明日黃花了嗎？在這個時代，我們有必要選擇書本嗎？

雖然這種說法有點自相矛盾，但我認為**書本最大的魅力，在於「毫無魅力」**。這裡談到的「魅力」，指的是能在短時間內有效地吸收資訊。

例如，你想了解一件事，只需上YouTube尋找相關評論影片，就會有人淺顯易懂地為你解釋相關概念。華麗的聲光效果同時也刺激著你的視聽感官，一口氣竄入大腦。每分鐘都提供許多資訊量，讓我們在短時間內高效吸收資訊。

然而，面對排山倒海的資訊量，身為接收方的我們，也得拼命吸取資訊，也因此倍感壓力。在收看影像的過程中，大腦絕大部分的資源，都會用來吸收眼前的大量資訊，導致我們忘記深入思考。

另一方面，書本不像影片，能夠在短時間內濃縮和收集大量資訊，頂多只有文字和圖表，主要佔用到的是五感中的視覺（當然還有翻書的觸覺），是種壓力極低的媒體。

只不過，接收資訊量小，就意味著有了投入思考的餘裕。由於書本與我們的互動幾乎是零，這代表彼此進行的是單向溝通。在閱讀的過程中，我們是邊看邊思考。不同於接觸聲光影像，我們能夠自行決定消化資訊的步調。

換句話說，書本無論在五感還是時間

上，都能提供人充分的思考餘地。**留有「思考的餘地」，就是書本最大的魅力。**

讀書時，讀者需要自行去感受書中意境，像是從字裡行間中回顧過往經驗、放任自己的想像奔馳、絞盡腦汁思考箇中含意……都是我們在閱讀時無意間會做出的行為。

引人入勝的思考餘地

從這個觀點來看，會給人留下許多思考餘地的文學作品，應該就是詩詞、短歌和俳句吧。

我們看著寥寥幾行詩詞，試圖解釋其意境，將自己的思想、經驗和想像試著投射進去，來填補字裡行間大量的「餘地」。在讀詩的短暫時間裡，大腦正忙著與詩詞進行雙向溝通。

讓我們看看知名作家谷川俊太郎的作品〈早晨的接力〉的第一節：

堪察加的年輕人　夢見長頸鹿時
墨西哥的小女孩　正在晨霧中等公車
紐約的少女　在床上微笑翻身時
羅馬的少年　正對著朝陽眨眼
早晨
總在地球的某處悄悄展開

或許「晨霧中等公車」這句會突然勾起部分讀者，在紐約和羅馬街頭搭公車的回憶場景。僅僅是讀到這短短十句，大腦就彷彿轉動的地球儀般，浮現出各種異國情調的風景。

由於這首詩字數極少，所以讀者的腦海內，才會交織著各式各樣的風景。這就是資訊量少的文學作品所擁有的力量。

儘管讀詩和看電視廣告同樣都花十五秒，但期間大腦運作的方式卻是截然不同。電視廣告的聲光效果會給大腦帶來強烈衝擊，但是詩詞不會。

由此可見，詩詞跟「書本」並非全然被動的媒體。

我們得主動走進書的世界，全面動用自身經驗和思想去面對文字，解釋字裡行間的意境。也正是這種思考空間，才會讓我們不知不覺一頭栽入「書本」的世界。

保持覺察，才能讀有所得

但只要被動地閱讀文字，就能自然而然走進書本的世界嗎？天底下沒有這麼便宜的事。這點取決於你閱讀的態度。

文藝評論家小林秀雄先生曾在《讀書與人生》一書中提到：

所謂閱讀，並非放空腦袋吸收內容就好。閱讀跟人生經歷一樣，都是貨真價實的經驗。讀者面對書本時，心智必須時時刻刻保持覺察，否則就無法讀有所得，形同活著卻無法從人生經歷中有所斬獲，白活了一趟。

「**讀者面對書本時，心智必須時時刻刻保持覺察**」是小林先生提出的閱讀態度。雖然本段描述有點難懂，但換句話說，應該是指「直面書本，用心閱讀」吧（「閱讀態度等同於人生態度」這句話也很打動我）。

所謂直面書本，具體而言指的是什麼？我認為讀者應該**以第一人稱的視角觀察書中世界，自發性地參與其中**，而不是站在客觀角度來評論書本。

換句話說，就是為自己戴上作者和書中主角視角的「VR（虛擬實境）眼鏡」。

接下來，讓我們試讀一段三島由紀夫的《金閣寺》吧。

以下的描寫，是書中主角想像著自己未曾見過的金閣寺，會有多麼美麗。

有時我覺得，金閣宛如納入我掌心的小巧玲瓏手工藝品，有時我又覺得它是聳入雲端，龐然大物似的廟宇。年少的我從未想過所謂的美代表大小合度，所以看到夏日小花，像是被晨露濡濕般，散發朦朧光芒的時候，我就覺得它彷彿金閣般美麗。

若是匆匆一瞥，不用幾秒就能看完這段文字。若是直面書本，就能透過這段描述，替自己戴上VR眼睛，窺見主角眼中的世界，以文藻為線索，在內心天馬行空的想像。主角用「彷彿金閣般美麗」來形容眼前的花朵，讓人不禁思考他內心的金閣寺，究竟是怎樣的存在呢？

當主角親眼目睹金閣寺後，後續的描述也更加鮮明生動。

難道金閣虛構的美，幻化成別的什麼東西了嗎？美為了保護自身，可能會誆騙世人的雙眼。我本應更接近金閣，剔除使自己的眼中產生醜陋感覺的那些障礙，逐一審視細微部分，親眼瞧瞧美的核心。

平心而論，當我第一次親眼目睹金閣寺後，也曾對它的平凡面貌感到大失所望。大家多少都有事前期待值極高，但實際接觸卻失落萬分的經驗吧（像札幌市鐘樓之類的……）。但是，若你轉換成主角的視角看待書中世界，你會發現自己微不足道的失望經驗，根本無法與書中主角的心情相提並論，畢竟彼此間的期待值差太多了。這個主角連看到夏日小花，都能聯想到「彷彿金閣般美麗」，他心目中的金閣寺，又會是怎樣的形象呢？

若是讀者沒有沉浸式體會主角的感受，只是簡單對照自身過去經歷來解讀，就很難理解主角隨著故事後續發展，心境上產生的微妙變化。借用小林先生的話，這種閱讀態度是「無法讀有所得的」。

不要突然施展「必殺技」

讀到這裡會發現，面對書本時，如何活用個人經歷至關重要。

如前所述，為了填補書本的餘地，少不了運用讀者的個人經歷。但從《金閣寺》的前例來看，個人經歷有時也會成為直面書本的絆腳石。

尤其有些讀者在閱讀時，會輕易地將書中的陌生世界，與自己已知的世界聯繫起來，結果看完書後，依然沒有真正理解書中的世界。

此外，也有不少日理萬機的商務人士，會在審視個人經歷時想起公事，造成思緒中斷讀不下去。還沒讀幾行，未完成的工作就是會在腦中一閃而過，像是「差不多該準備下週的會議了」。待回過神後，才發現自己已在滑手機發訊息了，根本無法認真讀完一本書。

也可以說，由於書本會留給人思考餘地，因此思緒很容易受到干擾。那麼該如何避免這種情況發生呢？我們在閱讀時，必須留意提取過去經歷的先後順序。

面對書本前，必須先忘記過往經歷專心閱讀，然後才提取個人經歷來解讀書本。如果搞錯先後順序，讀者會走不出自己的狹隘認知，導致難得的閱讀體驗大受侷限，這樣就太可惜了。

超人力霸王與怪獸對戰時，也不會一開始就施展必殺技，多半是面臨危急之際才會出招，在大快人心的時機，到最後的最後才祭出必殺技。唯有怪獸和超人力霸王都發揮的淋漓盡致，才能創造相加相乘的效果，共譜最精彩的故事。

因此，當你想要使出「根據我的經驗，八成是這種那種故事吧」的必殺技之際，先讓「書本」這個對手的本領發揮到淋漓盡致吧。個人經歷請留待最後使用。

突然使出必殺技，也是相當煞風景的事。只要順序對了，就能享受到閱讀的樂趣。

讀者是賦予書本生命的人

「哪本書讓你印象最深刻？你能跟大家分享嗎？」

不曉得大家突然被這樣問到時，會說出什麼答案呢？

●每讀一遍，就會有所改觀的書

提到讓我留下深刻印象的書，那就是遠藤周作的《沉默》。我是在國中初次與這本書相遇。書封上是釘在十字架上的神父和受拷問的隱匿基督徒的驚悚圖片，年幼的我雖然害怕，依然忍不住拿起了這本書（順帶一提，這還是一九七一年篠田正浩執導的電影書封版，如今搞不好很珍貴）。

《沉默》是我人生中第一本長篇小說，基於日本政府迫害天主教徒的背景，葡萄牙傳教士遭舉發後宣誓棄教的故事。書中關於拷問的描寫，帶給我彷彿被扔入異次元般的衝擊。

雖然《沉默》曾帶給我這種回憶，但它卻是一本我每讀一遍都會有所改觀的奇妙作品。國中閱讀時，我曾一度很厭惡出賣書中主角洛特里哥傳教士的吉次郎。令我印象深刻的一幕，是吉次郎出賣洛特里哥後哭吼著：「帕德雷，請原諒我。」

當時的我，對此感到無比憤怒。我很討厭吉次郎軟弱的個性，還有他那份冀望獲得寬恕的狡猾。

但年歲漸長後重讀本書後，卻有了截然不同的感受。有了人生歷練後，我察覺到自己內心深處也有位「吉次郎」，並逐漸對吉次郎的心境產生共鳴。書中的尾聲提到：

那個人並非沉默著。縱使那個人是沉默著，到今天為止，我的人生本身，就是在訴說著那個人。

當時是國中生的我看不懂這段話，所以選擇直接略過。但多年後重讀，便能體會到字裡行間的深奧之處。

●讀者會把書本變成獨一無二的作品

我在序章曾介紹過《別想擺脫書》（安伯托．艾可與作家尚—克洛德．卡里耶爾合著），尚—克洛德．卡里耶爾在書中曾這樣說過：

> 每次閱讀都是在修改書籍，就如我們所經歷的事件。一本偉大的書永遠活著，和我們一起成長和變老，但不會死去。（中略）傑作並非一開始就是傑作，而是逐漸成為傑作。

也就是說，**書本由於留有思考的餘地，所以讀者得以為其塗抹上各種色彩，賦予書本嶄新的生命**。

因此所謂的閱讀，是作者和讀者聯手合作，讓書本昇華成每位讀者的原創內容，其他資訊量龐大的媒體管道，根本無法與書本相提並論。

讀者加入獨到見解和自身經驗，進而獲得個人結論的瞬間，那本書就會搖身一變，成為那位讀者的「原創作品」。

這也是卡里耶爾那句「傑作並非一開始就是傑作，而是逐漸成為傑作」想表達的真正含意。

我的好友兼日本設計公司 Takram 的情境設計師渡邊康太郎，把書本比喻成「等待演奏的樂譜」。

相信各位都明白，一首好聽的音樂作品，光有樂譜是不夠的，還要有人演奏出來。同理可證，書本也是在作者與讀者聯手合作下，才能昇華為與眾不同的原創作品。渡邊先生用了很前衛的比喻，替卡里耶爾那句「書本會逐漸成為傑作」的概念做了淺顯易懂的解釋。

關於法蘭茲·卡夫卡（Franz Kafka）的《變形記》（*Die Verwandlung*）有一個軼聞，據說卡夫卡曾堅決反對出版商在初版封面放上蟲子的提議，所以《變形記》的初版封面，是位雙手抱頭，看似苦惱的男子站在門前的情景。

也可以說，卡夫卡刻意製造了想像空間，激發讀者對於蟲子的想像，與讀者聯手完成了這部作品。

因此，從這層意義上來講，書本是種自由度極高的媒體。**閱讀，就是在字裡行間摸索，從中衍生思考的餘地，昇華出自己的獨到見解。總之，書本是相當值得玩味的媒體。**

閱讀內容的同時，也不忘「閱讀情境」

既然書本是值得玩味的媒體，那我們該如何與書同樂呢？

在此介紹與書同樂的其中一種方法——**閱讀書本的情境脈絡**。

就算好書在手，但閱讀環境不佳，也很難跟書本共創美好回憶。提到閱讀法，大家往往著重在書本的內容上，但是關注書本的情境脈絡，安排符合書本的情境進行閱讀，也是與書同樂的一種方法。

例如我最愛的書是瑞秋・卡森（Rachel Carson）的《驚奇之心》（*The Sense of Wonder*）。若是來到海岸邊，聽著悠揚的海浪聲閱讀本書，感受近在身邊的大自然……卡森女士想傳達的思想，也會如空腹飲水般沁入心脾吧。

在這樣情境下的閱讀，從書中獲得的新見解，也會與置身在都市擁擠電車上的閱讀大不相同吧。

●「內容」和「情境」缺一不可

接下來，我想分享自身的相關經驗。

那是我家小孩在應試時發生的事。身為家長的我，在等候室等待著一小時後的親子面試。踏入等候室後，隨之而來的就是親子面試，因此室內鴉雀無聲，氣氛也很緊繃。但我早料到自己待在密閉空間會坐立難安，所以挑了內村鑑三的《留給後世的最偉大遺產》帶去現場。

本書是身為基督教思想家和老師的內村鑑三先生，於一八九四年向學生演講的現場記錄。內村透過本書向大眾呼籲展現「生活態度」的重要性。沒錯，這本《留給後世的最偉大遺產》，顧名思義，指的就是我們每個人的生活態度。

儘管這本書我當時已經讀過好幾遍，但我想在緊張的氛圍下，仔細琢磨「生活態度」這個名詞，因此選了這本書陪伴我度過這段時間。

這也讓我後來每每翻開《留給後世的最偉大遺產》，都會不斷想起那個等候面試的時刻。翻開書頁後，自己在面試前受到「生活態度」這個名詞的啟發，在主考官面前得意忘形、侃侃而談的情景，都會時不時浮現在我腦海中。

這個與書本內容無關的「閱讀情境」是我個人的專屬體驗，沒有人可以剽竊。當「內容」和「情境」都到位後，我的這本《留給後世的最偉大遺產》也完成了。

● 連結回憶之鑰

西方文學代表作家普魯斯特（Marcel Proust）於《普魯斯特評論選》某篇題為「論閱讀」的文章中，曾談到情境的重要性。

我們只能把如今依然會重溫的舊書，視為一本保存了過去點滴、獨一無二的日曆，期盼在書頁上看見那些不復存在的住宅和池塘。

這個比喻有點難懂，容我來補充說明。普魯斯特早年讀書時，總是將重點放在內容，在他眼中周遭環境只是干擾。但後來他認為，比起書本內容，透過書頁重溫當下閱讀時的情境，更有價值。

本來書是以「文本內容」為主，閱讀時的「情境」為輔，但隨著時間的推移，兩者卻產生了逆轉。我非常能體會書本成為「連結回憶之鑰」的感受。由此可知，雖然閱讀內容沒有改變，**但閱讀時的情境，卻會帶給人截然不同的閱讀滋味**。看不見的情境與看得見的文本內容同等重要。所以我在出門前，會預想外出地點、時期和心境，然後挑一本符合上述條件的書。

外出旅行時，我不只會注重服裝儀容，也會花心思選書。基於渡邉先生提倡的「情境設計」的理念，我想將這種會關注情境、與書同樂的閱讀稱作「情境式閱讀」。

大家不妨想像自己眼前有個書架，為每本書設想能讓它們各顯神通的「情境」吧。

越是痛苦煎熬，越是最佳的閱讀時機

我想對「情境」做進一步補充。「情境」有兩大要素，就是閱讀的「**場所**」和「**時機**」。

關於閱讀場所，在我分享去海邊閱讀《驚奇之心》，還有在面試等候室閱讀《留給後世的最偉大遺產》的兩個案例後，相信各位應該不難想像。**盡量在符合書本傳遞訊息的空間閱讀，可以豐富自己的閱讀體驗。**

至於「時機」，指的就是閱讀時的心境。開心時，可以讀讓快樂加倍的書；悲傷時，推薦大家挑選能分擔悲傷的書。

我認為最佳的閱讀時機是人處在痛苦和悲傷，還有情緒低落的時候。

當內心充斥著負面情緒時，人會試圖向外界求助。有時書中傳達的訊息，就像是朋友的無心話語，可以幫助到我們。由於我們無法靠自己填補內心的空虛，所以必須倚賴外力來填補。書本可說是相當可靠的存在。

比方說，重松清先生的著作《流星，時光休旅車》，就是我在內心煎熬時拜讀，然後深深烙印在腦中的一本書。原本準備自殺的書中主角，為了扭轉人生，踏上時空穿梭之旅回到過去。這個帶有奇幻色彩的故事，讓我學到了重新審視人生的重要性。即便看似悲劇重重的人生，只要換個角度去看，就能找到希望。

當時的我，正在尋找能讓自己克服人生難關的契機，這本《流星，時光休旅車》的啟發直達我的內心深處，帶給我很大的力量。我想只有在深陷匱乏感的情況下閱讀本書，才能感受到這本書的啟發有多麼深刻。

閱讀前後的情境，與《流星，時光休旅車》的內容完美同步，成為深深烙印在我腦海中，終生受用的一段記憶。

因此，人在痛苦時邂逅的書，有很高機率會帶來良好的閱讀體驗。就像起床後喝到第一杯水般，給人醍醐灌頂的感受。不對，應該是頂著盛夏烈日，跑了好幾圈操場，搖搖欲墜之際滋潤喉嚨的清水，也就是讓瀕死身體復活的「生命之水」。

所以當你陷入痛苦、低潮到快要撐不下去的時候，請比出勝利手勢告訴自己：「是時候該閱讀了！」越是痛苦煎熬的時候，就越是閱讀的最佳時機。

跳脫思考框架，隨心所欲的閱讀

本章曾提到「書本」是包含了很多思考餘地的媒體，所以享受那份想像空間非常重要。

雖然經常有人問我：「我的讀書方式有需要改進的地方嗎？」但讀書方式沒有好壞之分（雖然我在本章前半段，近乎說教似的一再強調閱讀的先後順序）。為了追求更高的自由度，免不了要留些緩衝空間，閱讀也是一樣。畢竟書本單純是由字串組成，更進一步地說，大家只是在看印刷在紙上的墨漬而已，所以大家可以自由解讀內容。

如果說唯一應該堅持、非得這樣閱讀不可的閱讀方式，就是**不要讓自己困在別人的評價中**，例如「這種閱讀方式行不通啦」、「你只知道這種讀書方式嗎？」，別理會他人諸如此類的批評指教，隨心所欲地閱讀吧。我在 Voicy 節目製作的書評，都是在不拘泥於他人評價的前提下，做出的自由解讀。

如果介紹一本書的時間是十分鐘，那我最多只會用五分鐘來講述精華內容，剩餘的五分鐘，我會跳脫框架，向聽眾強調「雖然純屬個人見解，但本書還有這種讀法」，發表自成一派的讀後感。

書本在與讀者聯手合作下，才能昇華為一部與眾不同的作品。這麼說來，「書本」在出版問世時，就不僅僅是作者的著作，而是與讀者的共同作品。

叔本華（Arthur Schopenhauer）在《叔本華論閱讀》曾提到：

> 思想最初的氣息，僅能延續到化作語言的前一刻，一旦化作語言，思想就會死去。

也就是說，作者的思想，在寫成書的瞬間就已死去，但讀者可以賦予書嶄新的生命。所以**用自己的方式自由地享受書本，也代表在賦予這部作品新生命**。

拋下像是「這本書該怎麼讀」、「必須讀多少本書」以及「必須從頭讀到尾」等教條，怡然自得的閱讀吧。

書本是價值取決於「讀者」的媒體，所以沒必要受到像是「暢銷書就是好書」、「有名人背書應該很值得一讀吧」等他人評價所束縛，**因為決定書本價值的人是你**。

親自挑選想讀的書，親自閱讀，充分運用閱讀情境深刻地享受閱讀的過程。

書，就是如此自由的媒體。

第2章

如何挑選書？

讀什麼書，應該問問自己

截至目前我認為自己是什麼？

當然是人類。

但身為人類又代表什麼？

——勒內・笛卡兒（René Descartes），

《沉思錄・我思故我在》

（*Meditationes de prima philosophia*）

針對「問題」的三種選書法

——「發現問題」、「發現答案」、「既知提醒」

我們在前章討論了「為什麼選擇書本作為學習工具」，而在本章我想探討這個議題：**我們適合看什麼書，還有如何制訂選書的標準。**

大部分的書都存在「問題」，還有相對應的「答案」。雖然有些書缺乏明確定義，甚至連作者都沒察覺這套模式，但只要提高抽象化的程度，就能解讀出潛伏在作品深處的架構。

例如，托瑪．皮凱提（Thomas Piketty）在《二十一世紀資本論》（*Le Capital au XXIe siècle*）中，針對「不公平會如何演變，持續不公平會發生什麼事」的問題，給出這樣的答案：「除了戰爭期間，不公平的現象始終在擴張。若是沒有整頓結構，不公平今後只會越演越烈。」《二十一世紀資本論》是本超過七百頁的鉅作，雖然裡頭穿插了很多細碎的「問題」和「答案」，但綜觀來看，就會發現其實都圍繞著同一個「問題」和「答案」。

再舉一個例子，芥川龍之介的短篇小說《礦車》也是透過少年的親身經歷，提出了「人生合理嗎？我們能否在安心活在合理之中」的問題，最後暗喻「人生是場荒謬劇」以及「人生就是面對荒謬，接連不斷的恐懼不安」的答案（雖然這是我的主觀解讀）。

無論是商業、小說、哲學或任何領域的書籍，多半能看出書中的「**問答結構**」（順帶一提，推薦大家選書時，多利用Flier[5]等提供書籍重點摘錄的網站，先理解書本的問答結構）。

接下來，依循這個思路去思考「選書的標準」時，可以先為書籍分類。先想想那本書提出的「問題」，對你來說是「既知問題」還是「未知問題」。

如果是未知問題，也就是你從未想過的問題，就可歸類成「**發現問題之書**」。另一方面，若書中提出的「問題」是自己早已反覆思考過的，就可透過「答案」對書本做進一步分析。替既知問題提供新答案，就可歸類成是「**發現答案之書**」；如果提供的是既知答案，則可歸類成是「**既**

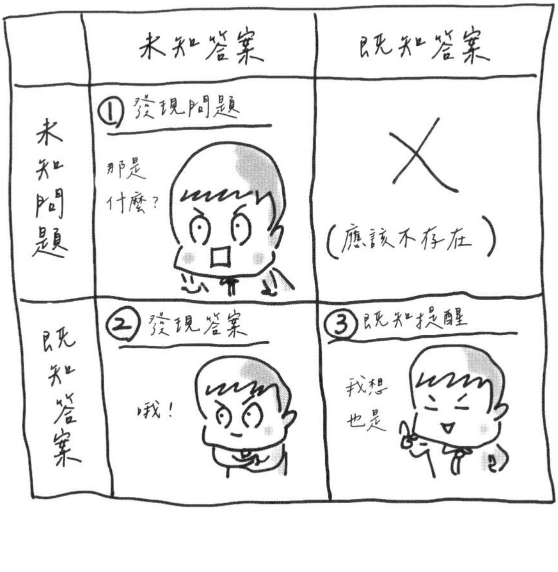

註5：為日本書摘服務網站，主打服務為「十分鐘讀完一本商業書」。

知提醒之書」。

因此，我們可視個人情況，判斷書中「問題」與「答案」的新舊，藉此將書歸類為「發現問題之書」、「發現答案之書」、「既知提醒之書」三大類。

現在，讓我們來細看這三大類的特徵。

從根本上撼動讀者的「發現問題之書」

接下來，我們從提出人們至今從未想過的問題的書，也就是「發現問題」的範疇開始思考吧。

我想先用自己最近讀過的一本書進行具體的介紹。

●「何謂知道？」的問題

古希臘哲學家柏拉圖（Plato）將其導師蘇格拉底（Socrates）在法庭上的對話彙集成冊的《蘇格拉底對話集》，就是被我歸在此類的書。這本書提出的問題是「何謂知道？」以及「什麼是智慧？」

從蘇格拉底與被稱作詭辯者的智者的問答中，認識到了自我。

> 我比他有智慧。
>
> 雖然我對於彼此孰高孰低這點一無所知，但至少我知道自己的無知，但他卻連這點都不知道。顯然，就這點來說，我比他有智慧，因為我知道自己什麼都不知道。

這就是柏拉圖舉世聞名的段落「無知之知」。

如蘇格拉底所言，我也沒有深切理解到這個世界的真理，但遇到自己懂得比別人多一點的情況，往往會認為自己無所不知。

如果將無所不知的狀態比喻成一百分，那我知道的程度大概只有五分，但遇到其他人只知道三分時，我就會以為自己無所不知——儘管與無所不知相差了九十五分。讀這本書之前，我會毫不懷疑地將「知道」一詞用在日常生活中，然而我窮極一生都達不到「無所不知」的狀態，所以沒資格說自己知道。

所以「何謂知道？」這個平易近人的新提問，成為這本書教會我的重大「問題」。

●「我為什麼能與他人溝通？」的問題

路德維希・維根斯坦（Ludwig Wittgenstein）的《藍皮書》（*The Blue Book*），也是我想用來作為「發現問題之書」類別的舉例。

我主觀地認為這本書的提問是「為什麼我們能與他人溝通」（維根斯坦的書向來以深奧著稱，所以純屬個人臆測）。

雖然我從未對於「我為什麼能與他人溝通」這種太過理所當然的「問題」抱持過疑問。然而，當我一頭栽進維根斯坦的世界後，甚至覺得能夠與他人溝通是件很奇妙的事。

維根斯坦是這麼說的：

我們可以說「樹在塔的右邊」或是「樹在正中央」，但我不禁想問大家「你的視角是在哪呢？」

誠如他所言，我們看不見說話者的視角，所以非但無法確認說話者的所在位置，甚至連彼此談論的是否是同棵樹都無從得知。這樣一想，也許人與人之間的溝通，單純是出於一種「自以為懂」的前提。本書即是維根斯坦用客觀的眼光，看待在不穩定的前提下進行溝通的人們，提出了「我們為什麼能與他人溝通？」的簡單提問。

這本《藍皮書》提出的根本性提問，是我迄今從未問過自己的「未知問題」，對我來說，它是本帶給我深刻影響的書。

●「我如何面對未知存在？」的問題

雖然上述都是哲學書，但「發現問題」的書，未必僅限於此類。其實很多科幻小說也屬於此類。波蘭科幻小說作家史坦尼斯勞．萊姆（Stanislaw Lem）的《索拉力星》（*Solaris*），也是提出嶄新問題，令人印象深刻的作品。

雖然故事主軸是人遇見外太空生命體，也就是「面對未知」和「第一次接觸」的範疇，但他透過故事向讀者提問：「當你遭遇到自身智慧無法理解的存在時，會有什麼想法？會做出怎樣的行為？」

這本書的特色在於作者筆下描繪的生命體型態相當難以理解（簡單說是看似海洋的膠狀物），人類甚至不清楚它是否具有智慧。閱讀的過程中，「我在面對完全無法掌握的未知的第三方存在時（連這種稱呼是否合適都不曉得）會有什麼反應呢……」這個未知的嶄新問題，佔據我整個大腦。

繼續讀下去後，我察覺到令人震驚的事實。雖然我將外太空生命體視為「無法理解的存在」，卻在不知不覺間，將它認知為是與人類同樣擁有智慧的存在。

換句話說，我們習慣將主觀想法投射到對方身上，像是「他生氣了，我最好這麼做」或是「他很難過，我應該這樣做」。如果對象是人類就沒問題，但我卻連外太空生命體是否具備人類的七情六慾都不曉得。那我該怎麼做才好呢？書中沒有正確答案，只得出無奈的結論：自己終究無法面對非人類的外星智慧生命體。

這本書帶給我言語難以形容的新奇體驗，使我察覺到自身智慧的極限，還有自己在人類智慧的範圍之外無法立足的這個事實。

直視未知問題，對此感到無可奈何……《索拉力星》這種優秀的科幻小說帶來的閱讀體驗，足以顛覆讀者三觀。

●「發現問題」的書會顛覆你的三觀

如前所述，「發現問題」的書，多半擁有讓讀者對至今為止的人生改觀的影響力。拼命思索嶄新的「問題」，隱含著改變認知結構的可能性。這類的閱讀體驗，會暫時推翻讀者既有的思考模式和認知，所以可能會帶給你極大的壓力和負擔。

由於讀起來很燒腦，若讀者沒有改變自我的覺悟，應該會讀不下去。如果你正忙於工作，或是面臨著人生重大課題，就不太建議大家在此時閱讀。

不過，偶爾閱讀這類的書籍，會帶給你顛覆三觀的力量。

賦予不同看法的「發現答案之書」

●「我們如何認知這個世界」的答案

在此想先介紹認知科學家唐納德．霍夫曼（Donald Hoffman）的《不實在的現實》（*The Case Against Reality*）。對於「我們能否正確看待這個世界」的提問，本書給了否定的答案，並且以此為背景，給出「人類為適應世界的演化，妨礙了正確認知」的答案。

「人類如何認知這個世界」是我一直以來抱持的疑問，這個「問題」對我來說並不新奇。但本書是基於「演化」和「適應」等關鍵詞來提供「答案」，這是相當重要的發現。

霍夫曼以電腦及智慧手機的「介面」為比喻，向大家說明這個概念，我們點開手機的「相簿」應用程式時，明確知道圖示後不存在紙本相片，真實存在的是乏味的二進位檔案，但我們卻能做出圖示後好像有紙本照片的行為。畢竟程式太過複雜，使用者無法直觀的理解。

同理可證，這個世界也是如此。我們眼前的一切，只是智慧型手機和應用程式的設計者所設計的「介面」。我們所看到的世界並不真實，僅是方便人類理解的介面。例如人類看不到紫外線，卻能從「曬傷」的資訊來感知到它，這種程度的介面，就足夠讓人類生存下去了。

假如我們要看見包含紫外線等的不可見光，就需要一顆能接受過多資訊的高等大腦。為此，人類會需要更多能量……最終，很可能會導致人類難以生存。

為了在世界生存，所以現代人只能做出最低限度的認知。

唐納德・霍夫曼所提供的「答案」，成為了我長久以來的「問題」的輔助線，給我耳目一新的感受。

「為什麼大家覺得工作無聊？」的答案

大衛・格雷伯（David Graeber）的《40％的工作沒意義，為什麼還搶著做？》（*Bullshit Jobs*）也屬於這個分類。

絕大多數人應該都覺得工作很無聊，真心覺得工作有趣的人，在職場中也屬於少數派吧。工作不是人生的全部，所以即使很無聊也無關緊要，但既然都要工作，如果能從中找出意義會更幸福吧。

我在接受許多相關諮詢的過程中，也經常抱持著跟本書相同的疑問：「為什麼很多人覺得工作無聊呢？」所以我在遇到這本書以前，內心就有了這個問題。

但大衛・格雷伯卻給了這個問題截然不同的答案。

簡單來說，他認為「世界存在著創造狗屁工作的架構」，並從「社會、經濟、文化背景」三面向來解釋產生狗屁工作的機制。我以往總是下意識將問題癥結點歸咎於「工作態度」等精神層面，並試圖找出解決之道。但格雷伯以宏觀視野探討的答案，帶給我許多新啟發。

●擁有驚人後座力的「答案」

雖然兩本書的內容都是大家都會意識到的「問題」和「假設」，但它們依然精彩地給出令人跌破眼鏡、驚奇萬分的「答案」。

懷抱既知疑問的時間越久，做出的假設越能引發思考，嶄新答案帶來的後座力也越強。

鞏固世界觀的「既知提醒之書」

最後來介紹用來提醒讀者「既知問題」和「既知答案」，也就是「既知提醒」的書。

●關於「知易行難」的提醒

最淺顯易懂的案例，應該是戴爾・卡內基（Dale Carnegie）的《人性的弱點》（*How*

to Win Friends & Influence People）。由於這本書是創紀錄的傳說暢銷書，相信很多人都有看過。

本書的提問是「如何建立良好的人際關係」，而答案是「關懷他人」和「溫和的談話態度」。簡單說，本書提出的為人處世道理眾所皆知，內容也缺乏新意。

既然如此，為什麼還要持續閱讀這種書呢？原因在於「明明知道卻會忘記」，還有「知道卻辦不到」。

關於建立人與人之間的關係，無法再提出什麼創新技巧。正因為是老生常談，我們才會以為自己都懂，然後不屑一顧。像是書中提到的「打招呼」和「叫名字」等技巧，都是我們從小就被灌輸的觀念，但回顧一整天自己的行為會發現，其實我們都忽略掉了這些事。

看在有閱讀習慣的人眼中，這類自我啟發書羅列了人際關係和培養能力等顯而易見的原則，難免會對此感到嗤之以鼻。但我想這類書存在的必要，就在於大家不見得都在實踐這些眾所皆知的道理。

所以，我們必須定期閱讀像是《人性的弱點》這類自我啟發的書籍，**重溫既知的**

道理，重新確認其必要性。

●關於「假設自己從未見過」的提醒

雖然風格不太一樣，但前章提到瑞秋・卡森的《驚奇之心》，也可歸納成是「既知提醒」的書。

本書的提問是「人類該如何跟大自然相處」，卡森在書中這麼說：

> 與孩子一起探索大自然，代表你必須磨練自己對周遭萬物的感受性，亦即開啟久而未用的感官迴路。也就是重新學習如何使用自己的眼睛、耳朵、鼻子和指尖。

自從我認識這本書後，這段描述就常駐於我的腦海之中，特別是卡森提到「開啟感官迴路」這句。

人埋首於工作時，會關閉自己的感官迴路。不再留意眼前的微小存在，面對細微的變化也遲鈍起來。可想而知，就連自己正在接受他人幫助的認知，也會趨於薄弱，僅僅關注眼前事物，像是自己該做什麼、有沒有更有效率的做法，滿腦子想的都是自己。正如我在人際關係中失敗的原因，大多是過度自我膨脹，過於仰賴思考。

儘管大腦正在高速運轉，但感官不包含在內。關閉感官迴路的瞬間，人就會變得傲慢，將周遭一切視為理所當然的存在。當以自我和思想為中心的我，讀到卡森「開啟感知迴路」那句話後，頓時如夢初醒。

別只關注自己，也要留意周圍人事物的存在；別只仰賴思考，也要依賴感官。由於我經常失衡，所以會時不時翻閱《驚奇之心》，放下電腦和手機，趁工作空檔去接觸大自然。

那麼具體而言，要如何開啟「感官迴路」呢？卡森在書中這麼說：

> 我們該如何看見被忽視的美麗呢？只要試著反問自己：「如果這是我從未見過的東西呢？如果我再也見不到它了呢？」

當自我膨脹過度，我會遵照卡森的建議，在外出散步時，像是念咒語般反問自己：「如果我從未見過百子蓮，會有什麼感受呢……」即使是平淡無奇的花朵，只要用全新眼光看待，就會發現花朵的形狀和色彩，都呈現令人難以置信的絕佳平衡。此外，每一朵花也擁有各自的風韻和美麗，如果你能把花朵視作超越人類存在的至高藝術品，你會瞬間發現，在浩瀚世界中「自我思考」和「自我意圖」根本不值一提。

這句「打開感官迴路，感知外界存在」，我不曉得對自己說過多少次。儘管內心明白這點，但這個道理會被時間沖淡，自己的關注也會轉移到其他事物上，所以定期提醒自己「既知道理」，也是很重要的事。

打造自己的閱讀書單

根據前述，我會把書歸納為三大類，也建議大家檢視自己的書架，試著為自己的藏書分類。

你的書大部分是屬於哪個分類呢？

一般而言，大家多半會偏好「既知提醒之書」。

如前所述，「發現問題之書」會刷新我們對於世界的看法，讀起來很燒腦，而「發現答案之書」讀起來也不輕鬆。所以大家在選書時，難免會偏好自己熟知的內容，也就是「既知提醒之書」。

尤其是「既知提醒」類的書籍，大多能證明自己的想法沒錯，所以閱讀起來快速又輕鬆，所以單看「本數」的話，能以最快速度增加自己的閱讀量。但就算增加閱讀量，也只是在「既知問題和答案」的輪迴中打轉，未必有助於個人成長。

這類書不管讀多少，也只能獲得「世界果然跟自己想的一樣」和「自己的想法確實沒錯」等感想，這種情況會有點危險。

●閱讀也不要挑食

所以，我會建議大家在閱讀時，打造「既知提醒」、「發現問題」和「發現答案」三類分布均衡的閱讀書單。

首先，「既知提醒」的書適合當作平時沒有閱讀習慣者的入門書。在「自己熟悉的領域」，佐證自己相信的「既有問題和答案」，可能是養成良好閱讀習慣的契機。

此外，從「既知提醒」的書獲得自信後，或許還能將知識面的內容昇華成自身的技能（例如「換位思考」的概念，如果停留在知識面沒什麼意義，要付諸實踐才有價值）。

就這樣，累積一定程度的閱讀經驗後，在書單中可以開始納入適合第二階段閱讀的書──「發現答案」的書，嘗試接觸用不同研究方法得出的見解。

透過「發現答案」的書，可以理解到自己的思考模式不見得都對，換個觀點和立場，就會有截然不同的看法，也就是俗稱的「後設認知」（metacognition，即對自己認知的認知）。

接下來是能夠提升自我，也就是「發現問題」的書。

如前所述，「發現問題」的書，會迫使讀者改變自己的認知行動，讀起來辛苦又耗時，除了閱讀起來很累，書中談論的技術與知識，一時半刻也派不上用場，也不會對現實問題產生任何影響。

但我仍然會將這類書納入閱讀書單，**是因為人類從來不會去質疑理所當然的事物**。例如，「人與人之間為什麼能溝通？」這個問題太過理所當然，所以我們壓根沒思考過。不過當這個問題被提出來時，我們才猛然發現，溝通其實是極為脆弱和奇妙的行為，甚至會覺得「為什麼我從沒想過這個問題呢？」

那是近在咫尺我們卻從未發覺和涉獵的世界。透過將他人思考化為文字的「書本」，我們得以透過他人的力量抵達這一塊新大陸，從提供「嶄新問題」的書本之中，獲得巨大的力量。

我在執筆《圖鑑　大企業為什麼倒閉？》和《失敗讓你更成功》的時候，曾大量調查許多全球企業和組織的失敗原因。我發現這些組織失敗的共通點之一，就是組織內部都在狀況外，提不出根本性的問題。雖然客戶的需求已經改變，卻沒有發現，只是一味糾結於流程控管等細節；明明外界已經出現足以顛覆商業模式的技術性革新，卻依然著重於眼前粗淺的具體工作上。

儘管處境已然搖搖欲墜，卻沒人拋出根本性的「問題」，直到失敗前都渾然不覺。

你的「理所當然」真的正確無誤嗎？

「發現問題」的書會提醒你反思「理所當然的問題」的重要性。

與其讀萬卷書，不如發現一個「好問題」

在你擬定比例均衡的閱讀書單時，有一點想請大家特別注意：**不要在意閱讀量**。

「你一個月讀多少本書？」是我經常被問的問題之一，但我壓根沒有統計過，真的回答不出來。若是讀起來很沉重的書，一個月只能讀幾本，但換成讀起來很輕鬆的「既知提醒」的書，閱讀量輕輕鬆鬆就累積起來。然而說到底，閱讀量的多寡沒有優劣之分，追求這個數字根本沒有任何意義。

但是，這個被人屢屢問起的問題背後，存在一個文化背景，那就是基於「效率至上主義」的思考。我們在忙碌之餘，如何花最少的時間獲得最大產量，然後快速掌握世界的運作方式，從中找出捷徑……我能感受到這個問題背後，存在著這些近似焦慮的想法。

當然，我能理解大家想有效利用有限時間的心情，但在閱讀上太過執著這點，反而弊大於利。更具體的說，這種急功近利的想法會讓你傾向避開「新問題」和「新答案」。尤其是「發現問題」的書大多艱澀難懂，就算理解了，也一時間想不到有什麼用處。有些人表示，一想到「效率」和「閱讀量」等字眼，花大量時間閱讀一本書上的行為，瞬間就變得愚蠢起來。

所以閱讀時，應該拋開「效率至上主義」的觀念，就算一年只讀一本書也行。因為**讀一本能讓自己有所發現的重要「問題」和「答案」的書，遠比一年讀三百本書來得更有價值**。

因應「人生階段」調整閱讀清單

最後，我們該如何分配這三類書的比例呢？結論是依你人生各階段的需求而定。如果你正處在新職務交接之際，當務之急就是熟悉眼前工作。若是這樣，可以多讀點「發現答案」的書。緊咬問題不放，在相同框架內大量吸收各種答案，提升自我優勢，也許是較為實際的做法。

另一方面，當你的事業進入穩定期，就必須提前為變化做好準備。遇到這種時候，請積極將「發現問題」的書納入閱讀書單。稍微遠離常看的商業書，走到平常不太會看的哲學或人文學類等書籍的書櫃，透過閱讀接觸自己從未思考過的問題。此處有很多顛覆三觀的書在等著你。雖然它們很難對付，讀了也不見得能立刻派上用場，卻能幫助你在變化來臨前提前做好準備。

最後，在職涯的道路上，難免會面臨徬徨失措、裹足不前的時刻，這時可以閱讀「既知提醒」的書，它們就像在對自己說「你現在這樣沒問題，先邁步向前吧」，具有從背後推自己一把的力量。

因此，我想提供大家的閱讀策略是：**始終客觀看待「當下的自己」，因應不同時期擬定閱讀書單吧**。

第3章

如何閱讀一本書？

用書本培養「問題」

「我說舅舅。」

「什麼事？」

「我覺得人類……」

說到這裡，小哥白尼的臉紅了一下，但還是鼓起勇氣開了口。

「人類呢，就像是水分子。」

——吉野源三郎，《你想活出怎樣的人生？》

改變「知識輸入」和「知識輸出」的順序

截至目前，我們都在探討「為什麼閱讀很重要」、「用書本學習的意義」以及「自己該讀什麼書」。

本章我想繼續探討「**如何閱讀一本書**」。關於這個議題，本章提出了兩大重點，那就是「**從知識輸出開始閱讀**」，還有「**跳躍於具體和抽象之間**」。

為什麼我會這樣說呢？本章會以我的親身經歷為例來做說明。

●「知識輸出」是我閱讀的契機

年幼時期的我不是愛看書的小孩，雖然同學中也有書蟲，但我天生熱愛戶外活動，所以閱讀量算是普通（但肯定讀過堪稱國小男生聖經的《活寶三人組》和《怪人二十面相》系列）。

我是在二十歲後半段，才開始愛看書。與其說是我領略到閱讀的樂趣，不如說是面臨到不得不看書的處境。因為我當時必須以商學院教職人員的身分公開授課。

雖然我在人前的身分是講師，但學生都是比我年長且歷練豐富的商務人士。乳臭未乾的我，該對這些學生說些什麼呢？

當然，我在授課範圍內的知識還算足夠（畢竟有備課），但脫離了授課範圍，我幾乎沒什麼經驗能分享，真傷腦筋……我在備課的同時，也思考著自己的策略。

然後我得出的答案是「徹底運用他人力量」。所謂的他人，指的就是學生和書本的力量。例如某位學員提出了雖然偏離課本內容，卻很基本的問題：「我明白荒木老師的意思。但我目前處在這種狀況，該怎麼做才好呢？」

遇到這種情況，我會先借用學生的力量：「這是個好問題。其他人對此有什麼看法呢？」臺下有很多歷練豐富的學生，所以會提出各種很棒的建議。然後我會趁這段期間絞盡腦汁，尋找能為這個問題提供正確線索的書。

接下來，我會不疾不徐地告訴大家：「總結一下，大家的建議大致分成兩點，第一點是……第二點是……有鑑於此，為了加深各位的理解，我會推薦大家閱讀○○○。這本書的內容是……，也包含了關於這兩點的討論。」事實上，這段話中沒有我的個人見解，只有學生的意見和引用書的觀點。只要這樣做，就算我缺乏歷練，也能創造附加價值……找出這套成功方程式後，我開始拼命地閱讀。

有時看過的書，很快就會在下一課堂即時派上用場。我也不只一次暗自慶幸：「幸虧已經看過這本書了，若沒看過真不曉得會怎麼樣。」閱讀與否的確會實際影響到我在課堂上的臨場應答。另一方面，當我無法確實回答學生問題時，就會在回家的路上進行自我反省。爾後於某書看到關於這個問題的答案時，就會感到懊惱萬分。

對於沒有早點讀到這本書的懊悔，也會成為我下次閱讀的強大動機。「想在上課前盡量多讀點書」——這種幾近焦慮的強迫性想法，是我展開閱讀人生的契機。

雖然這是我的個人經驗，但我覺得其中隱含著啟動閱讀開關的線索。

一般來說，大家會先閱讀學習應有的知識，才敢在人前高談闊論。換句話說，就是先做「知識輸入（input）」，然後再做「知識輸出（output）」。但是很多人會因為知識尚淺，達不到知識輸出的境界，導致自己成為「知識輸入過剩」，空有豐富知識的萬事通。

為了避免這種情況，試著翻轉這種循環，我認為**先定義知識輸出的場合，營造讓自己走投無路的處境**。如此一來，大部分的人就會基於求生本能，啟動閱讀的開關。

● 阿姆羅閱讀法

在此容我將以知識輸出為優先的閱讀法稱作「阿姆羅閱讀法」。阿姆羅指的不是歌手安室奈美惠（兩者同音），而是《機動戰士鋼彈》的主角阿姆羅·雷。

起初阿姆羅對於駕駛鋼彈機器人一竅不通，單純是想逃避來自敵人的威脅，迫於需要才搭乘駕駛鋼彈。他的生存本能也在那瞬間被啟動，內在潛能也隨之覺醒。也就是說，阿姆羅不是為了駕駛鋼彈才做「知識輸入」，而是駕駛鋼彈後才學習駕駛鋼彈的知識。有時順序對調，會加速激發人的潛能。

當然，我不是要大家全盤接受這套理論，並將這種方式用於像是培訓下屬等各種場面。這只不過是關於閱讀的閒聊罷了。

但若你發覺到自己正面臨「最近老是在知識輸入」和「連知識輸入都做得不夠」等問題，請回想「阿姆羅閱讀法」這個關鍵詞（如果你對鋼彈無感，也可以換成「知識輸出閱讀法」）。然後，（如果有必要的話）就像自己必須在一無所知的情況下駕駛鋼彈一樣，先為自己製造知識輸出的機會，像是安排一場讀書會等。

替相異之人開通航線的能力

我想繼續分享自己身為老師時的後續狀況。

想當然爾，光是照本宣科地引用書本內容，學生也未必能聽進去。畢竟提問者的處境未必完全符合書本的內容。例如大企業老闆的經驗談，無法解決創業家的煩惱；半導體業者的成功心法對於服飾業者來說，就像是聽別人家的故事，漠不關心。一旦提問者產生「這套成功模式在該產業或許有用，但我們畢竟是不同產業」的想法時，就不會採納其建議。

為此，我們得找出提問者與書本的**共通本質**。

例如，創業家和大企業老闆的共通點是雖然企業規模不同，但同樣都要將內在動機不同的員工，引導朝向同個方向努力；至於服飾業和半導體業的共通點就是「掌握時機」（商品的絕對性價值固然重要，但把握市場需求出現的時機點才是勝負關鍵）。

因此，啟發他人時，先替看似相異的現象，開通一條本質上共通的大道，然後再透過這條路來交流訊息，會事半功倍。

雖然我用「大道」做比喻，但用「航線」來形容可能會更貼切。陸地上存在很多障礙物，單靠一條道路很難順暢通行兩地。但換作是無障礙物的天空，就能暢行無阻地用最短的距離互通有無。

替乍看相異的現象打通「航線」的概念，就是先前提到的「提高抽象度」。如果提高抽象度，就能替世間萬象打通「航線」，那自己的淺薄見解，也能夠無遠弗屆吧。

由於我年紀輕輕就在商學院授課，間接鍛鍊出替年紀懸殊、不同業界和立場各異等形形色色的人們**開通航線的能力**。

為了知識輸出的緊張感，促使我透過書本吸收大量見解。另一方面，也為了開通傳遞訊息的「航線」，鍛鍊了我的「抽象思考力」。

通過這兩方面的訓練，讓資歷尚淺的我，得到了在人前侃侃而談也不會尷尬的技能。

抽象化能提升學習的層次

本章我想稍微聚焦在「抽象化」（開通航線的方法）上。

●看似相異，實則相同

所謂「抽象化」，就是把具體且固有現象轉換成尋常、普遍的概念。

讓我們舉足球這項運動為例吧。假設把足球的「球技」當成抽象化的關鍵字，那球技就能抽象化為「運動」，運動又能抽象化為「活動身體」。

只要進行抽象化，就能開通相異類別之間的航線。舉足球為例，在球技面可以連結到「棒球」，運動方面可以連結到「田徑」，活動身體方面可以連結到「歌牌[6]」。

「歌牌」和「足球」乍看下完全不同……應該說根本八竿子打不著，但聚焦在活動身體這個角度的話，兩者的本質相同。請各位想像一下，足球社和歌牌社的人正在聊天，但氣氛有點不對勁——只關注於彼此的差異，當然聊不太起來。

儘管乍看天差地別，只要能提高抽象度到「活動身體」的層面，就能為彼此打通「航線」。

每個活動都有各自的身體活動方式，如果從鍛鍊哪個部位的肌肉，還有平時該留意的身體部位的角度去討論，可能會有好玩的發現（雖然也可能沒有）。

美國知名頂尖西洋棋棋手，也是世界太極拳錦標賽推手冠軍的喬希·維茲勤（Josh Waitzkin）曾在《學習的王道》（*The Art of Learning*）說過：

「太極拳」和「西洋棋」看似南轅北轍，卻開始於我的內在合二為一。兩者根基彷彿相連，我用西洋棋的思考模式詮釋太極拳，每天都持續發現新的相似之處，後來我練太極拳時，感覺就跟學西洋棋沒兩樣。

沒什麼比這段描述更能體現「航線」的本質了。無論是西洋棋還是太極拳，根基部分在本質上是相同的。儘管表面不同，但鍥而不捨地追溯本質，就能看見與其他事物相連的「航線」，這席話讓人感受到這種可能性。

註6：原是日本宮廷遊戲，通常在正月時舉辦，多為兩人一組對賽，有「榻榻米上的格鬥技」之稱。

●尋找共同點的遊戲

所以我很重視能看出「**看似相異，實則相同**」的抽象化能力。

我的指導對象除了商務人士，也包含了武藏野大學的學生以及參加親子探索體驗平臺「Gifte!」活動的小學生。例如，我會在活動上跟小學生玩前面提到的「尋找共同點遊戲」，這種訓練方式既淺顯易懂，效果也很好。

我會讓小六女生跟小三男生組隊，然後出題目，讓他們盡力找出雙方的共通點。由於雙方之間有著極大差異，所以很難直接從具體層面找到共通點。比方說小三男生愛打棒球，但小六女生不愛；女生會表演跳舞，但男生不會；雙方看的電視節目和感興趣的電影也都不一樣。

然而，棒球和舞蹈表演，在具體層面上是截然不同的活動，但換作抽象層面，都是得靠團隊才能完成的活動。只要留意到這個「共通點」，雙方就能基於這點試著聊天。像是「你曾經接受過朋友的幫助嗎？」、「想打造一個好團隊，需要注意什麼？」只要聊得起來，彼此內心的距離就會瞬間拉近。乍看下不同世界的人，也能在抽象化的瞬間，建立起屬於彼此的心靈「航線」。

讓孩子們玩這個遊戲，是因為我認為這是學習的本質。一旦孩子認為自己是特例、與團隊成員格格不入，就會喪失向他人和其他團隊學習的意願。所以我希望孩子們先切身理解這個道理：「雖然乍看不一樣，但提高抽象度後，其實大家都一樣。」如此一來，大家才會如夢初醒地發現，自己有太多需要向外界學習的東西。

在極度講求多元化的時代，也許最初映入眼簾的，都是像性別、年齡、語言和膚色等差異。具體層面的差異，會瞬間激發人的防衛反應，產生排斥感。但大家終究都是人類，擁有相同的本質。想理解多元化事物的本質並且樂在其中，就少不了「抽象化的技能」。

提高問題的抽象度，開啟學習的大門

在閱讀方面，抽象化能力顯然也是「開啟學習大門」的必要技能。

無論是哪種類型的書，只要讀者提高抽象度，就能打通與書本之間的「航線」。從這個意義上來說，**每本書都跟自己有關**。

為了全面開啟學習大門，與所有書本建立起橋樑，需要一點小技巧。我來為各位介紹一下。

首先，**在提高書的抽象度前，先提高自己「問題」的抽象度**。

舉例來說，入職三年的田中先生，對於主管從不接受自己的意見，只會一味否定自己感到苦惱，所以跑到書店尋求書的協助。想當然爾，田中先生是用「讓主管接受我的意見的方法」這個具體層面的問題，尋找能立即派上用場的書，如此一來，找到的就會像是《與主管溝通的五十個技巧》和《給二十五歲的職場溝通教科書》等書。

當然，那些書中應該會有隨看即用的具體技巧。然而，只侷限在「問題」的層面，會讓田中先生錯過書店的很多好書。

想開啟更多的學習之門，請先試著提高「問題」的抽象度。如果可以把「讓主管接受我的意見的方法」抽象化到：「人是否能與他人相互理解？」、「他人又是什麼？」、「理解又是什麼？」的程度，閱讀清單會一口氣增加很多哲學名著。

例如波多野一郎先生與中澤新一先生合著的《烏賊哲學》，肯定會為田中先生帶來很大的啟發。書中主角大助去打工捕烏賊，他在替數以萬計的烏賊裝箱的過程中，留意到烏賊的「存在」，於是他忍不住大喊：

沒錯！重點是覺知與感受萬物的存在。

儘管是如烏賊般微不足道的渺小生命，也要覺知到牠們的存在。久而久之，肯定也能覺知到身處遠方異鄉之人的存在。

從大助「覺知存在」的領悟，可以發現解決人際關係煩惱的線索。

我們很可能感受不到他人的存在，在無意間忽略了他人，但是只要肯用心，就算是烏賊，也能覺知到牠的存在。所以即便是搞砸的人際關係，只要能意識到這點，就有重修舊好的機會。

雖然《烏賊哲學》的書名，與田中先生的煩惱看似差了十萬八千里，但是將讀者和書本之間連結起來的「航線」，取決於讀者自身的看法。

當然，這本《烏賊哲學》和主管的人際關係只是舉例。但是，對從古到今透過群體生活而逐步進化的人類來說，現代人眼前難以解決的課題，大多只是古人們煩惱的回聲。

無論是「入職第三年的年輕人」、「公司」還是「主管」都存在各自既有和具體的課題。只要提高抽象度，就會發現一切課題只不過是過去的延伸。這麼一想，瞬間就能開啟古老智慧與讀者之間的「航線」。

克服閱讀的最後一哩路

雖然截至目前，我主要都在談論「抽象化思考」的必要性，但光是抽象化還不夠，充分「具體化」才是重頭戲。

總結前面的討論，讓我們抽象化自己的「問題」，開啟和古老智慧間的「航線」，並從中獲得啟發吧。但是我們的煩惱往往更加嚴峻和現實，像烏賊的存在這種靈光一閃的啟發，無法解決入職三年的田中先生面臨到的現實課題。

因此，把從書中獲得的抽象啟發，落實在具體層面就是關鍵所在。也就是針對《烏賊哲學》的啟發提出新問題，像是：「面對目前處境具體該思考什麼？該採取什麼行動？」藉此提高「答案」的清晰度（詳見〈來回具體與抽象之間的「三角跳思考」〉一節）。

由於最終導出具體答案並不是件簡單的事，所以我將這個課題稱為「閱讀的最後一哩路」。

「最後一哩路（the Last Mile）」最初是電信業者的術語，如今卻廣泛應用在物流運輸業，引申為將商品或服務送到顧客手中的最後行為。挨家挨戶送件的物流業

者，在「最後一哩路」會遇到五花八門的問題，例如面對無人應門的人家，必須採取不同的應對方式等，可謂是物流業者的一大課題。

而回到閱讀的世界，也會面臨到「最後一哩路的問題」。無論書中內容寫得多具體，也無法直接回答讀者各自的具體課題，「最後一哩路」必須靠自己動腦克服。

那麼，我們該如何克服「最後一哩路」呢？如前所述，我們只能將「**問題**」**具體化，深入思考它對自己的意義何在**。

當然，就算是最後「一」哩路，也必須靠自己走完。偶爾也會遇到抽象度過高，必須走「十」哩路的情況。即便如此，大家還是要絞盡腦汁，思考出那本書對自己的意義是什麼。

起先，你會覺得一哩路的距離很遙遠，但反覆這麼做後，就算是遙遠（抽象度高）的距離感，也能游刃有餘地去克服，無論是一哩、十哩……甚至一百哩都沒問題。

用「也就是說」和「打個比方」練習思考的往返力

總結來說，閱讀的重點是提高「問題」的抽象度，開啟與古老智慧間的「航路」，最後得出具體化的答案，克服「最後一哩路」。

簡單說就是**將具體事物抽象化再重新具體化**，但實際上每個人的困難之處也不盡相同。

有人不擅長抽象化，也有人不擅長具體化。就像人的慣用手分成左右撇子一樣，思考模式也分成「**偏重具體型**」和「**偏重抽象型**」。

讓我們進一步探討這個問題。

●「偏重具體型」的特徵

「偏重具體型」的人，相當注重跟關心具體層面。普遍來說，他們不擅長抽象思考，但只會關注和逐一思考各種現象。然而，對於貫穿宇宙森羅萬象的根本法則及共通項目，則是漠不關心，約八成的商務人士都屬於這種類型。

這類人很容易在選書的最初階段，也就是面臨「抽象化問題」時卡住，他們往往會拘泥於自身的具體處境，無法更深入地抽象化問題。

因此我建議「偏重具體型」的人，平時最好養成反問自己「**也就是說，這代表著什麼**」的習慣。

回顧職涯的工作經歷後，可以試著反問自己：也就是說，我做了些什麼？在讀完一本書，說出帶給自己具體印象的十句話之前，先反問自己：也就是說，我理解到了什麼？諸如此類的反問，有助於抽象思考。

當習慣成自然後，就算是自身面臨得具體「問題」，應該也能透過「也就是說，自己想思考什麼？」的反問，陡然拉高「問題」的抽象層面。

細谷功先生在《具體與抽象》一書中，是這樣描述抽象化的優點：

抽象化的最大優點是什麼？

將複數現象依共同特徵分成同組後，就有可能將單一現象的學問應用在其他方面，也就是「聞一知十」（事實上別說是十，一百萬也有可能）。

尤其是那些自認是「偏重具體型」的人，很可能會反覆「聞一知一」。正確性固然重要，但想要更上一層樓的話，免不了要知一聞十，甚至是百。這個關鍵就在於抽象化。

●「偏重抽象型」的特徵

另一方面，「偏重抽象型」的人，相當好奇貫穿宇宙森羅萬象的法則和機制，對於具體事實則是興致缺缺。在團隊中是僅佔兩成的少數派。

這類人於閱讀後的實踐階段，也就是「具體化問題」時經常會碰壁。由於他們會對於抽象化概念感到滿足，至於這套概念如何套用在眼前的具體課題，還有具體該採取什麼行動等問題，都被他們都拋在腦後。

如果你是「偏重抽象型」的人，試著對自己提出假設性問題，像是「**打個比方，這個概念具體來說要怎麼做？**」

讀完書後，別光談論虛無飄渺的抽象概念，嘗試著眼於現實層面，像是「換作我目前的處境，這個概念是這個意思」只要養成這個習慣，閱讀品質也會跟著改變。

順帶一提，我無庸置疑地是「偏重抽象型」。即使身為肩負營運責任的老闆，比起考慮提升業績數字的具體措施，我的注意力反而集中在「這個行業的結構會怎麼樣？」等抽象概念上。

身為老闆，針對具體「問題」提供精準「答案」至關重要。對我來說，扮演這個角色的痛苦程度，跟把右撇子矯正成左撇子沒什麼兩樣。

當然就結果而論，靠後天吸收「具體思考究竟是什麼」的思考模式，無疑對我的職涯和閱讀生活都會大大加分。

畢竟理解自己的傾向，致力維持適當平衡，也是閱讀中很重要的一環。

來回具體與抽象之間的「三角跳思考」

具體與抽象間的來回思考，經常被稱為是具體和抽象的「往返運動」。如果同樣用「運動」做比喻，與其說是往返，用「三角跳」來形容會更貼切容我向各位解釋吧。

●《烏賊哲學》能解決田中先生的煩惱嗎？

以前面提過的田中先生為例，來探討主管不聽自己意見的煩惱吧。

起初的「問題」是「怎麼做才能讓主管認同我的意見？」如前所述，這個「問題」太過具體，所以必須抽象化。

比方說，腦海中浮現「如何與他人相互理解」的問題。順著《烏賊哲學》的邏輯去思考，就會邂逅「存在」這個關鍵字。

人與人之間要相互理解，必須體認到對方是「具體存在的獨立個體」。讀完這本書後，田中先生才恍然大悟，自己過去把主管當成空氣，壓根沒有在意過這個人……但是該怎麼做，才能覺知別人的「存在」呢？這個新「問題」頓時佔據了他的頭腦。然而這本書中沒有答案，於是田中先生又開始傷腦筋。靜下心思考後，他發現自己對於主管所知甚少，所以無法將主管視為實際存在的人物。

「主管在工作以外的時間是什麼樣子呢？他有什麼樣的焦慮和野心呢？因為少了這些資訊，所以我無法把他視為『存在』。原來如此……我滿腦子都是自己的意見，卻疏於努力去獲取他人資訊……」於是田中先生一步步加深了自己的覺知。

在田中先生的故事中，最初的問題是「怎樣才能讓主管接受我的意見」，到最後卻轉變成「該怎麼做才能在日常生活掌握他人資訊」。

從具體「問題」開始，用《烏賊哲學》的抽象世界進行抽象思考。當克服最後一哩路，重新轉變為具體「問題」時，你的結論會得到突飛猛進的進展。這也是我想把具體與抽象間的來回思考稱為「三角跳」，而非「往返運動」的理由。

●用「三角跳思考」閱讀《車輪下》

為加深大家對於「三角跳」的聯想，我想再舉一個例子。我是如何將書中具體故事抽象化，再具體化到日常生活的？

比如說，我讀了赫曼．赫塞（Hermann Hesse）的《車輪下》（*Unterm Rad*）。這本書是描述一位天資聰穎的少年漢斯，雖然以優異的成績通過了嚴格的考試，卻因為無法適應環境和發揮才能，結束自己短暫人生的悲劇故事。儘管漢斯對於受到規則束縛，只能專心唸書的人生感到困惑，但神學院和父母等周遭人的期待，使他左右為難。只能壓抑自己的欲望到身心俱疲。讀完少年漢斯的人生，令人唏噓不已。

但無論故事情節多麼精彩，它依然是十九世紀的德國小說。無論是時空、背景和環境，都與現代人毫無關連，所以看完後只有「這個故事很有趣」的感想也很正常。然而，只要淡化這個故事的具體性，進行抽象化後，就能理解到「大環境體系下的犧牲者」這個核心概念。

沒有人想到，在這位天真無邪的乖巧孩子的靈魂深處，肆無忌憚掀起暴風雨的兇手，正是學校和父親以及幾位老師的野蠻虛榮心，將脆弱敏感的他徹底逼入絕境（中略）。

若是質問老師「為什麼要這麼做」，他們無疑會嗤之以鼻的回答：其他學生不也都在接受同樣的教育嗎？

這段話令人充分理解到書名《車輪下》的含意。「車輪」代表著高效率的機制，至於「下」的意思則隱含著偏離機制的人，毫無疑問地會被碾壓過去。

也就是說，對於當時的德國，神學院這套體系，是能夠高效率地培養出優秀牧師和老師的「車輪」，而落入這套體制的漢斯，是只能從下方眼睜睜看著車輪朝自己逼近的脆弱生命。

位居車輪「上」的大多數人，都認為車輪是種高效率的工具。然而只要落到車輪下，車輪充其量只是兇器……看到這裡，你就會發現「車輪」充斥在社會周遭的每一個角落。

我們社會周遭的車輪是什麼？落入車輪下的都是什麼樣的人？從下方仰望車輪的恐懼是什麼？

如果從抽象的角度看這部作品，你會發現書中充斥著現代社會的弊病。例如，遠距工作模式搞不好會形成「車輪」，什麼樣的人會落入車輪下呢？車輪是應該停下來，還是該改變方向，還是只要車輪出現了，就注定無藥可救呢……

當「問題」從抽象轉為具體後，就會成為一時半刻很難回答的現實話題。

● 與書本共同孕育「問題」

我在先前的章節講述了田中先生的煩惱、《烏賊哲學》、《車輪下》及遠距工作的現實。儘管最初看似毫無關連性，但藉由「具體↓抽象↓具體」的三角跳思考後，就能找出全新的關連性。

只靠自己去思考具體的問題，往往會淪為在原地打轉。越是在想法停滯不前的時候，越要**活用「書本」這個工具，跳躍到抽象世界，得出嶄新的具體結論**。因此，我認為讀者可以和「書本」攜手孕育「問題」。

從具體跳到抽象，最終得到嶄新的具體結論！

第4章

你也有「閱讀病」嗎？

關於閱讀的無謂努力

所有圖書館館藏公諸於世時，我內心最初萌生的情感是莫大的歡愉，感覺全人類成為了這些未被發掘的神秘寶藏主人。

——波赫士（Jorge Luis Borges），
《波赫士的魔幻圖書館》（*Borges on Reading*）

閱讀是沒有捷徑的

大家有去過書店的選書專區嗎？

我建議大家有機會去大型書店時，務必去一探究竟，那裡塞滿了像《如何閱讀一本書》（*How to Read a Book*），莫提默・艾德勒〔Mortimer J. Adler〕與查理・范多倫〔Charles Van Doren〕合著）等經典名著，也有像是速讀法和《〇〇閱讀法》等全新學習方法的叢書（本書很可能也在其中）。

只要望向書架，就能感受到商務人士對於閱讀有無窮無盡的煩惱。實際上，我在Voicy經營《荒木博行的 book café》的節目後，收到很多關於「閱讀」的相關諮詢。

當我看到這些煩惱，內心不免感到疑惑：「慢著，閱讀應該是件有趣的事吧？大家為什麼會如此煩惱呢？」

我在冷靜思考後，發現大家都在找尋「閱讀的捷徑」，也就是「扭轉人生的閱讀法」，但我要再次重申，遺憾的是，世上不存在這種捷徑。這個問題只有一個答案，就是**用平常心閱讀**。

千方設法的尋求捷徑不但是白費力氣，也無法長久延續下去……所以在本章，我想將大家在閱讀上做無謂努力的行徑稱之為「通病」，並進一步歸納為五大典型通病及治療方法。

首先來看一下五大通病有哪些吧。

- **完讀症**
- **專一症**

- **囤書症**
- **實用症**
- **沒時間症**

雖然大家未必每個項目都符合，但列了這麼多，總會符合幾項吧。不過，如果全中那就糟糕了。

好了，讓我們逐一探討吧。

堅持把書從頭到尾讀完的「完讀症」

第一種通病是「完讀症」。很多人都認為「翻開書就必須逐字逐句、從頭讀到尾」。根據我的粗估，約六成讀者有這種問題。

順帶一提，我也罹患過這種病，但治好這種病後，我的閱讀世界頓時豁然開朗起來，所以從這個意義上來說，還是及早改正為妙。

首先，書本跟讀者也存在著「緣分」，就像人際關係也有合得來跟合不來的人一樣。有些書是「雖然內容寫的不錯，但無法進入狀況」，但儘管內心這樣想，但想到「既然都買了……」或者「繼續看下去也許會找到樂趣」，很多人還是會選擇咬緊牙關努力看下去。當然某些書閱讀起來很需要耐性。我也曾下定決定要逐字細讀維根斯坦（Ludwig Wittgenstein）的哲學書，他的著作往往以艱澀著稱。

然而當你偶然在書店看到一本很吸引你的書，或是在熟人的推薦下買了一本書，實際讀起來卻很痛苦……若是如此，請立刻放下這本書，去讀別的書吧。浪費時間的代價遠大於書錢。

出口治明先生在《書的使用法》中寫著：「**如果讀了五頁覺得沒意思，就不要讀了。**」也許五頁的說法有點極端，但讀者和作者是否投

〔完讀症〕

緣，在開頭前幾頁就能略知一二（就跟第一印象對人際關係很重要是相同的道理）。

相反地，有些書讀不下去，未必跟投不投緣有關，單純是現在還不到閱讀的時候。

一般來說，閱讀也講求天時、地利和人和。有的書適合在人生一帆風順的時候閱讀，有的書適合在難過時閱讀；有的書必須累積相應經驗再去閱讀才能有所收穫，也有的書應該在人際關係深感困擾時閱讀……無論是多好的書，唯有在恰當的時機閱讀，才能獲得優質的閱讀體驗。

所以拿起一本書時，先閱讀開頭。如果覺得現在還不是閱讀這本書的時候，就別勉強自己，靜靜闔上書本，等待重新翻開它的那一天吧，不要被書本就該讀完束縛住。

● 大致瀏覽自己拿起的書

但我希望各位遇到時機不對的書時，可以做一件事。

別直接闔上書放回書架，先大致掌握這本書的內容。難得你有興趣拿起一本書，請先大致掌握本書的「**問題**」和「**答案**」。

例如，我會隨意翻閱這本書，瀏覽書中關鍵字的前後段文字、最後一章和後記，然後在印象深刻的地方貼便利貼。由於「書中關鍵字」是自己感興趣的單字，所以前後段內容應該較容易理解。

從放棄閱讀、隨意瀏覽到闔上書的過程只需要短短五分鐘，但這五分鐘卻很重要。因為當你未來需要這本書的時候，很快就能重新遇見它。你瀏覽這本書的時間，還有現在的寶貴時間都不會白費。

此外，也建議大家把花五分鐘瀏覽過的書，擺在書架上容易看到書名的位置。如果能**隨時瞄到書名，待閱讀的時機成熟後，它會向你發出無聲的信號**（這是真的，書會主動來跟你搭話）。

無論如何，別勉強自己讀完整本書，但也不要只是匆匆過目就算了。花點心思做點功課，在日積月累下，有助於自己在正確時機，讀到對的書。

打造「集體圖書館」

法國巴黎第八大學文學教授兼心理分析師皮耶．巴亞德（Pierre Bayard）在《不用讀完一本書》（*Comment Parler Des Livres Que l'on n'a Pas lus?*）中，以獨特的角度論述為什麼不用勉強讀完整本書。他提到「讀完整本書」的觀念是「錯誤規範」。

因此巴亞德才會提出「集體圖書館」的概念：

我們談論某書時，不像表面看上去的那樣只是單純談論一本書。絕大多數的情況下，會廣泛地涉及到一系列的書籍。因為世界上的書籍，都是在特定時間點、特定文化領域的系列叢書的一部分，我想稱之為「集體圖書館」，而它也是關鍵所在。談論書本的關鍵，就是掌握「集體圖書館」。

由於這段描述不太好理解，由我在此為各位補充說明：「如果有座圖書館網羅了世界上所有的書本，那你現在閱讀的書，被放在這座大圖書館的何處呢？了解書中細節實際上沒那麼重要，認識每本書在集體圖書館中的經緯度才是關鍵。」

當我基於商業脈絡靈活運用書籍，或是引經據典回覆大家問題時，感覺的確很像是在腦內的圖書館內跑來跑去。

「這本書應該放在科技類，歸類在『擴增人類賦能』區，既然這樣，我可以引用麥克魯漢（Herbert Marshall McLuhan）的《認識媒體：人的延伸》（*Understanding Media*）……」上述過程簡直像在圖書館內來回衝刺，總算找到適合的書，拿起來溫習後，再跟大家分享心得。

所以，**比起讀完整本書，更重要的是認清那本書中「問題」和「答案」的定位，然後確實把它擺在圖書館內適合的位置。**

能夠認知到這座圖書館的浩瀚和每本書的經緯度，才是「教養」一詞的真諦。巴亞德也這樣說過：

> 有教養的人，就算沒讀過那樣的書也無所謂。雖然他可能不太清楚這本書的內容，卻很清楚那本書的所在位置。總結來說，他們知曉這本書和其他書之間的關連性。

這句話如當頭棒喝點出了閱讀的目的。讀完整本書充其量是一種手段，**打造自己專屬的「集體圖書館」，才是閱讀的真正目的**。

當然，我們想把書確實擺在「集體圖書館」的書架上，有時免不了要讀完整本書。但既然讀完整本書只是一種「手段」，我們也不用太過執著，若覺得它不適合現在的自己，就基於自己對這本書的淺薄理解，輕輕放回書架上就好。

然後我們能做的就是靜待時機成熟，相信自己終究會拿起它，這種行為也稱得上是「閱讀」吧。

不允許自己見異思遷的「專一症」

「專一症」是「完讀症」的進階版，也就是只要拿起一本書，在讀完之前會覺得自己不該再看其他書。

當然，沉溺在喜歡的書中非但不是壞事，而且相當重要。我偶爾會看見有些人死腦筋地認為「我不能三心二意、吃碗內看碗外……」，但我想說的是：「想要更自由地閱讀，就去讀自己想讀的書吧。」

依我的個人感覺，約三成讀者有這個問題（從這個意義上來說，患有此病的人數也沒那麼多）。

順帶一提，我老早就治好了這個毛病，現在動不動就同時閱讀二十本書，變成了「多軌並行的閱讀家」。儘管聽起來很厲害，但是用「蜻蜓點水式的閱讀」來形容更恰當。

談到自己為何想多軌並行的讀書，是因為我想挑選最符合當下心境的書來讀。我會評估自己的身心狀況，讀當時想讀的書。就算再怎麼喜歡吃擔擔麵，總不可能天天都吃吧（畢竟對健康有害）。在想吃擔擔麵的時候吃的擔擔麵，才會令人感到回味無窮吧。

閱讀也是同樣的道理，我們必須讀符合當下身心狀態的書籍。只要堅定這個立場，最後閱讀就會變成是多軌並行。例如拼命完成工作後，疲憊的大腦會想休息片刻，就算哲學書已經看到一半了，想必也是讀不下去，在這種時候，反而適合閱讀輕鬆的散文，或是通俗易懂的小說或漫畫。以第二章的書本分類法來說，建議大家可以挑選「既知提醒」的書，享受不會造成身心太大負擔的閱讀時光。

但我們的身心狀況無時無刻都在變化。在早晨、假日等身心歸零的狀態下，與其選擇看到一半的書，不如去挑戰艱澀難懂的書或新書。「發現問題」的書則最好選在心平氣和的時候閱讀。從這個意義上來說，從一而終的閱讀方式，形同忽略自身感受的專制閱讀。除非是很嚴以律己的人，否則根本無法持續下去。

從這個角度來看，或許選書也能跟「理解自己現況」劃上等號。拿起書本前，先確認「自己現在尋求什麼」，還有「能接受什麼問題」再挑選適合的書籍吧。閱讀前**自行先跟書本溝通**，才有意義。

你敢對天
發誓一生只愛
這一本書嗎？

〔專一症〕

對買書不讀有罪惡感的「囤書症」

在眾多閱讀病中，屬「囤書症」為大宗，約九成讀者有這個問題（根據荒木本人的調查）。我相信多數讀者都有「只囤不讀」的煩惱。

所謂囤書，就是買了書卻不讀，也就是明明想閱讀才買書，卻抽不出時間來讀，導致沒讀的書越來越多的煩惱。

我也曾有過這種感覺。看著沒讀過的書在書架上越堆越高，內心的確會產生內疚和焦慮的感受。但我想告訴各位的是，別老想著快速解決囤書問題，**對於囤書，我們應該抱持著肯定的態度**。

我的書本採購量多過一般人，每週會買十本左右（同時也會每週在 Voicy 開講，歡迎有興趣的人收聽我的節目），加上還有來自熟人或出版社的贈書，毫不誇張地說，我的房間幾乎快被書堆給淹沒。

經常有人問我：「你真的把所有的書都讀完了嗎？」當然不可能全都讀完。由於出不敷入，所以沒讀過的書勢必會越囤越多。

只要坐在自家書桌前，就會被還沒讀過的書本團團包圍住。每天看著它們，內心不禁覺得：「**還有好多書都還沒讀**。**還有很多我不知道與想知道的事**，**自己必須更努力學習……**」書堆傳遞給我「學海無涯，唯勤是岸」的訊號，讓我也謙虛了起來。

沒讀過的書彷彿在監督著自己，透過書背靜靜向我發送「快讀我」的無聲訊息。在書香環境下生活，對於學習層面也有深遠的意義。

囤書空間也是私人棲地

書評家永田希先生用相當獨特的觀點詮釋了囤書空間。永田先生在自身著作《囤書才是完美的閱讀法》中，曾介紹過「棲地」的概念。所謂的棲地（Biotopos），指的就是小型生態系。

我們置身在書籍和網路等資訊的洪流中，難免會迷失自我，所以每個人都需要在洪流中製造一個自己的空間，也就是永田先生所謂的「棲地」。他鼓勵大家，把對自己有意義的書本蒐集起來，建立起不同於外在時間線的閱讀棲地。

內容產業及媒體業的發達，造就現代社會圖書環境的發展。新興媒體層出不窮，然後各自又衍生新內容。在外部他律機制的圖書環境，亦即資訊的洪流中，人需要建構自律的圖書環境，也就是「棲地」。

「自律的圖書環境」就是不受他人強迫，能激發內在求知欲及好奇心的知識空間。想像一下，你正前往自己喜愛的圖書館和書店，走向感興趣的專區。眼前高聳的書架上，塞滿了自己感興趣的書籍。光是置身其中，就有找回自我的感覺……就是這種空間。

我的工作室就是我的棲地。所以無論是寫作、開 Zoom 視訊會議或是沉思時，映入眼簾的都是堆積如山的書籍。

每天重複看到的東西，會對潛意識帶來影響。由於自己景仰作者的著作、勾起求知欲的書籍，還有向讀者提出深奧問題的書經常出現在我的視線範圍內，感覺它們在不知不覺間，潛移默化影響了我的思考過程和發言。

例如，我眼前堆滿了柏拉圖的《斐德羅篇》（*Phaedrus*）、亞里斯多德（Aristotle）的《尼各馬可倫理學》（*The Nicomachean Ethics*）、但丁（Dante Alighieri）的《神曲》（*La Divina Commedia*）和叔本華（Arthur Schopenhauer）的《作為意志和表象的世界》（*Die Welt als Wille und Vorstellung*）等書籍。每當瞄到它們，就會覺得如今工作上面臨的煩惱和課題都微不足道，總覺得它們的書背在無聲地傳達「以更長遠的時間線看待萬物」、「用更寬廣的視角看世界」、「從宇宙之浩瀚，看煩惱之渺小」等話語。

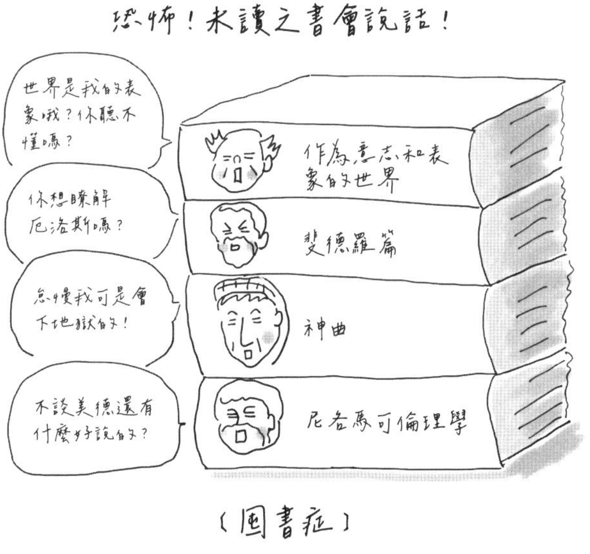
恐怖！未讀之書會說話！
世界是我的表象哦？你聽不懂嗎？
你想瞭解厄洛斯嗎？
怠慢我可是會下地獄的！
不談美德還有什麼好說的？
作為意志和表象的世界
斐德羅篇
神曲
尼各馬可倫理學

〔囤書症〕

雖然這些書我連翻都沒翻過，但神奇的是，光從書背就能感受到這些訊息。換句話說，這些沒讀過的書，每天都會像這樣帶給我力量。

●用「後設認知」拓展視野

我經常和新創公司 COTEN 執行長，同時是知名 Podcast《COTEN RADIO》主持人深井龍之介先生，談論「後設認知」的重要性。後設認知（Metacognition）是一種站在更高的位置，用更高（次元）的視角看待萬物的能力。

堅信自身價值觀絕對正確的人，可說是缺乏「後設認知」的人。若能用更高的視角看待事物，你會發現自己堅持的價值觀，只是眾多價值觀的其中一種。

在與深井先生對談的過程中，我認為「後設認知」的重點**在於擁有一套能幫助自己抽離現況的參考標準**。至於深井先生保持「後設認知」的做法，是在腦內反覆拿現代和過去歷史做比較。

對我而言，眼前堆積如山的囤書，透過書背洩漏出來的訊息，就是我拿來做對比時的參考基準。

所以囤書不是病，**對於囤書存在著負面偏見才是病**。囤書是賦予囤書者力量的存在，因此別認為這是通病，積極地囤書吧。

流於武斷學習態度的「實用症」

有一部分人認為閱讀後就要去實踐，覺得既然都看書了，就必須付諸實行，這就是「實用症」，以我的不精確統計，約五成讀者有這個問題。

我在第三章提出的「阿姆羅閱讀法」概念，有談到知識輸出的重要性，也深知實踐的重要性。但書本內容未必能全面付諸實行。儘管偶爾會碰到有些人堅信「無法實踐的閱讀毫無意義」，但想得太極端，容易讓閱讀的魅力大打折扣。

有些書確實很容易符合某些讀者「閱讀即實踐」的需求，如商業理財書、心理勵志書等，往往是為了改變自己的行動而讀，若是內容跟行動無關就毫無意義。

舉例來說，剛讀完提高工作效率的入門書時，心想：「原來還有這種工作推進方式，即刻來活用書中的內容吧。」所以從局部來看，「閱讀即實踐」的想法並沒有錯。

然而，並非每本書都具備這種即戰力，像是但丁的《神曲》和杜斯妥也夫斯基（Fyodor Mikhailovich Dostoevsky）的《卡拉馬助夫兄弟們》（*Brothers Karamazov*）等著作，要在讀完後付諸實行，根本是強人所難。

況且還有些書是讀完後，也無法理解作者想表達什麼。很可能過了幾年後才會恍然大悟，或是有了一些歷練後，才能獲得模糊的理解，進而喜歡上它。像商業書這種短期能實踐的書，在書本的世界算是例外的存在，事實上，有許多書離實踐都很遙遠。

所以請大家放輕鬆，將閱讀的心態調整成「世界上很多書都很難實踐，若能看到可以實踐的內容就好了」。

小林秀雄在《讀書與人生》一書中曾經說過：

美好的事物會令眾人沉默。美具有令人沉默的力量，也是它具備的本質。唯有仔細品味沉默所帶來的體驗，才能真正理解繪畫和音樂。因此，對於繪畫和音樂具有淵博知識，能夠高談闊論的人，也未必能夠真正瞭解繪畫和音樂。

如果這番論調不僅限於繪畫和音樂，也能套用在書籍的話，那麼邂逅好書的瞬間，別說是實踐，連用語言表達都有難度吧。

人類的「感受」和「認知」之間存在著巨大差距，而「認知」和「付諸實行」之間的差距更大。這種落差感就是小林先生所說的「沉默」吧。

〔實用症〕

也許當我們邂逅到好書時，也只能沉默以對吧。讀者只能按捺著難以言喻的焦慮，期盼最終將之訴諸言語的可能性，等待有朝一日能實踐在人生。

請各位秉持這種心態，逃離「閱讀即實踐」這種過於武斷的閱讀循環吧。

一成閱讀人都有的「沒時間症」

最後就是老把沒空掛在嘴邊的「沒時間症」。約一成讀者有這個問題。其實我也擺脫不了這個毛病。雖然囤書是好事，但我依然想盡量多讀點書，也痛切覺得時間不夠用……

身為病患之一的我，很常收到這類的諮詢。每當收到這類諮詢時，我會將心比心，建議大家靈活運用零碎時間，或是推薦對方我擔任顧問的書摘服務網站 Flier，或向對方解釋「阿姆羅閱讀法」，提供能擠出實踐時間的做法。

可遺憾的是，大部分當事人在聽完我的建議後，行動依然沒有絲毫改變。當情況一再重演，我才赫然發現這個事實：**雖然很多人抱怨「有時間閱讀就好了……」，但即使他們有了時間，也根本不閱讀！**一旦有多餘的時間，很多人往往會去瀏覽社群網站、跟朋友聊天，或是把時間花在嗜好興趣上面。換句話說，大家不把閱讀當成第一優先。

所以雖然沒時間症的患者有一成，但真正的患者，也就是想閱讀卻真的沒空的人，只佔其中的一成而已。剩下九成的人只是名義上在裝病，實際上根本沒病（雖然這種說法有點怪）。

當然，閱讀又不代表一切，每個人的優先順序都不一樣，這樣做其實也沒什麼大問題，但如果可以，我還是希望大家把閱讀的優先順序，擺在社群媒體網路的前面，這樣世界會變得更加有趣。話雖如此，很多商業人士的確處在沒時間閱讀的處境，這點無庸置疑。如果你真心覺得自己沒時間閱讀，只要改變自己內心的優先順序就好。

然而實際情況是，在你決定好優先順序前，眼前的智慧手機，就像是最厲害的竊賊般偷走了我們寶貴的時間。因此九成的裝病者，應該思考**自己真正重要的時間**是什麼，然後試著排出優先順序。即便是短短十分鐘的工作空檔，也能讀個幾頁書，開啟一扇通往世界的窗。

本章列出了妨礙閱讀五大典型通病和治療方式。至於治療方式，用一句話粗略地說就是「閱讀沒有規定，花點時間享受閱讀吧！」

只要這樣做，這些症狀就會消失。別太過拘泥於「○○閱讀法」，用自己的節奏和方法面對書本就好。

沒時間症

第5章

閱讀有用嗎？

避免目標導向的閱讀

經典會在我們的記憶中留下痕跡，令人無法忘懷，同時也會藏在層層的記憶當中，偽裝為個體或集體的潛意識，賦予閱讀者特殊影響。

——伊塔羅．卡爾維諾（Italo Calvino），

《為什麼讀經典》（*Perché leggere i classici*）

獲取資訊的閱讀VS.
培養獲取資訊眼光的閱讀

如前述所言，在商學院擔任講師，是我發憤閱讀的契機。想當然爾，我當時專攻的多是商業類書籍。由於我的教學領域涵蓋經營策略、市場行銷和商業思維，閱讀口味自然也侷限在這些類別。

我喜歡閱讀學者和實務者寫的作品，比較知名的理論學者有麥可．波特（Michael Porter）、克雷頓．克里斯汀生（Clayton M. Christensen）、菲利浦．科特勒（Philip

Kotler）、野中郁次郎、楠木建，實務者則是安德魯・葛洛夫（Andrew S. Grove）、彼得・提爾（Peter Thiel）和三枝匡。

畢竟閱讀攸關我的職務，所以我彷彿著魔似地閱讀著一本又一本的書。對我來說，一本書是否有用，取決於能否真正立刻解決眼下的煩惱，也就是用很淺顯易懂的觀點，進行「實踐性閱讀」。

但我最近幾乎不太讀商業書了，我現在讀的書大約有九成是哲學、歷史、思想等人文學系的書，其中最喜歡堪稱經典的古書。而我近期接觸的商業書，頂多是每天在 Voicy 節目上介紹的 Flier 商業書籍、來自熟人及出版社的贈書以及《哈佛商業評論》（*Harvard Business Review*）。

為什麼我的閱讀口味變了？在此我想引用經濟學家內田義彥《閱讀與社會科學》的一段內容來回答這個問題：

> 雖然統稱是閱讀，其中卻分成兩種性質截然不同的閱讀方式。寫在（黑板）這裡的是「獲取資訊」和「重溫經典」。

借用內田先生的說法，也許我已經厭倦了「獲取資訊」的閱讀。我內心深處意識到，是時候該結束將書中資訊傳遞給他人的短期閱讀了。內田先生也用「獲取資訊的閱讀」和「培養吸收資訊眼光的閱讀」來說明這兩者的不同，而我就是到了將重心轉移到「培養眼光」的階段。

然而我的職務內容，大部分都是在跟商務人士打交道，客戶往往是分秒必爭的新創企業老闆。「在如此快節奏的商業領域，人文書真能派上用場嗎？」越來越多人好奇不已，紛紛前來問我這個問題。

所以本章我想針對這些問題，探討「閱讀有用嗎？」，以及「閱讀的用處是什麼？」

「閱讀有用嗎？」是毫無意義的問題

閱讀有用嗎？換作數年前的我，八成會大聲的說：「絕對有用！」因為我真心認為，看看我的轉變吧，就知道閱讀對於工作的幫助有多大。

但是，過了這個階段後，我的答案也轉變為「我也不曉得是否有用」或是「是否有用這個問題毫無意義」。

我想，我越來越覺得自己閱讀不是為了要「有用」。正如我先前在「實踐病」提過的，這種帶有商業目的進行的短期閱讀，會貶低書本的價值。

幾年前，一本商業書《重塑組織》（*Reinventing Organizations*）在日本引起了廣大迴響。書中描述了一種自律的組織型態，摒除主管、管理階層和目標管理等概念，透過聚焦於每個人的存在意義來營運組織。

對於這本觀念前衛的書，大家的評價褒貶不一（至少在我周圍是如此）。雖然大家能認同部分像是「自主經營」、「整體性」和「存在目的」等新穎概念，卻也引起以實務者為首的批判之聲，像是「過於理想主義」及「不夠現實」。

我能理解這些實務者為什麼會有這種反應，看在每天與時間賽跑，成天思考如何盡可能增加營業額、削減成本的他們眼中，「能否立刻派上用場」是再基本不過的問題。直接略過這個問題，問他們這本書「是否有用」，他們會回答沒用也不足為奇。

但是這本書真的毫無意義嗎？當然不是。只要靜下心來閱讀，很多實務者應該很快就能從書中找到諸多啟發。

所以在面對書本前，我們必須把有用與否的問題封印起來，這就是「**閱讀是否有用這個問題毫無意義**」**的真正意涵**。

重新肯定「不認真」

進一步來說，我認為這個問題存在著「閱讀悖論」的矛盾，這個悖論就是只要閱**讀時思考是否有用，就會失去閱讀的本質，導致閱讀失去作用；另一方面，如果閱讀時不去思考這個問題，最後反而會有意外收穫**。

舉例來說，我不會抱著「這本書會對工作有幫助」的心態去讀人文書，純粹是基於喜歡跟感興趣。但讀完後，卻意外發現它跟工作有很大的關連，這類經驗可說是不勝枚舉。

●看似毫不相干卻暗藏玄機

在此分享我閱讀蒂姆・英戈爾德（Tim Ingold）《人類學為什麼重要》（*Anthropology: Why It Matters*）後的親身經歷，這本書是人類學家英戈爾德透過對於人類學領域現況的批判，對於人類看待事物的方式提出質疑。

書中描寫了加拿大原住民奧吉布瓦酋長貝倫斯與人類學家哈洛韋爾之間的對話：

哈洛韋爾問貝倫斯：「我們眼前所見的石頭都是活的嗎？」

貝倫斯沉思很久後回答：「不，但有些還活著。」

雖說是寥寥數行的描述，但英戈爾德基於這段匪夷所思的對話，在下一段對於人類的看法提出深刻的問題。

世界反而是接連不斷地在形成。作為世界一部分的我們亦然。正因如此，連綿不絕形成的這個世界，是充滿奇蹟和驚奇、滔滔不盡的泉源。

這段文字有點艱澀難懂。老實說，我第一次讀時也不太瞭解它的意思。但不知為何，直覺告訴我這段話很重要，於是我在不明就裡的情況下，將這段內容暫存於腦中。

直到過了很久之後，我在與某位客戶談話時，才瞬間領悟到那段話的含意。我記得那位客戶當時突然說出了自相矛盾的策略。我聽著他的言論，滿頭問號的心想：「這個人被情緒沖昏了頭，講話毫無邏輯可言，等等必須指出他的缺失加以糾正……」我打定主意後，便默默地等他講完。

結果在等待的期間，石頭的故事和英戈爾德的文字憑空出現：「世界反而是接連不斷地在形成。」

那位客戶很可能是凝望著世界持續形成的一部分在講話吧？假設那位客戶的說法具備合理性，那他究竟正眺望著什麼樣的世界呢？我突然開始對他看待世界的視角產生興趣。同時也察覺到我自身感受到的這份衝突感，可能是因為我眼中的世界，與持續形成的新世界之間存在的落差所致。

順帶一提，這位客戶的想法後來派上了用場，描繪出與我想像中截然不同的「故事線」。從這個意義上來說，是《人類學為什麼重要》派上了用場。

●起先沒料到會派上用場

但我想強調的重點在於，我當初閱讀《人類學為什麼重要》，不是為了對工作有幫助，也沒有想理解客戶言論的意圖及期待（若有這份認知，應該去讀更直搗問題核心的書，像是《傾聽的技巧》等這類書）。我會選擇這本書，單純是對書名感興趣，想著：「至今都沒機會接觸人類學，這是門什麼樣的學問呢？」

但卻帶來意料之外的結果。借用東浩紀先生的話，就是資訊被「誤送」了。而我能接受到這個誤送的訊息，是因為我閱讀時，不會過度追求「必須對工作有用」。

在此引用東浩紀先生在《哲學的誤送》中的一段話吧。

人類的所作所為，總會引發出乎意料的效應，雖然我們必須為自己的所作所為負責，卻往往帶來始料未及的效應，所以我們無法為此負起全責。於是我用「誤送」來表達這種侷限性，這也是針對某種不負責任、輕率和不認真的積極反思。

誠如書中所說，人類的認真終究會遇到瓶頸。為了突破瓶頸，我們也必須對於「不認真」抱持肯定看法。

事先設定好問題，懷抱著假設去面對書本，彷彿在叼起適合的獵物般，快速拿起一本書再闔上……對於忙碌的商務人士來說，也是種認真的閱讀方法。但這種正經八百的閱讀態度無法收到被誤送的訊息，所以才會存在著閱讀悖論。

雪花球閱讀理論

「為了派上用場，努力閱讀反而沒幫助……」理解這個原理固然很好，但我們該怎麼放鬆心情去閱讀呢？讓我們用一本書，探索能解決這個問題的概念吧。

在此引用教育改革實踐家藤原和博博士的著作《如何有效閱讀》。藤原先生運用「沉澱」、「攪拌」和「懸浮」等關鍵字，解釋人學到的知識如何在腦內發揮作用。

人類累積的一切知識、技術和經驗，都沉澱在大腦的某個部分。當腦內某個意識增強時，它們就會被攪拌，然後懸浮起來。

當那些知識懸浮起來的瞬間，就會形成思考迴路，被人類視作思想和看法。反過來說，如果知識、技術和經驗等元素未經懸浮攪動，就不會產生思想和看法。

這種妙筆生花的表達方式，讓我拍手叫好，因為這就是解決閱讀悖論的關鍵，怎麼說呢？請容我向各位娓娓道來。

請將大腦想像成一顆雪花球（雪花球是一種玻璃裝飾品，只要晃動它，內部亮片會如雪花般飛舞），人腦就像是顆雪花球，閱讀所累積的知識，就沉澱在看不見的地方。雖然它們平常都沉澱在底部，但受到外界刺激晃動時，這些顆粒會瞬間開始飛舞，然後浮起的顆粒會串連成新的圖案。至於在飛舞瞬間呈現的新圖案，就是「新的發現和靈感」。

●增加「知識雪花球」的沉澱物

比如說，我在與人交談時，從對方的話語中獲得靈感：「對了，上次看到的書中有過這麼一段話……。」這種透過單一關鍵字延伸聯想，然後在腦內引發連鎖反應的例子，我們都有過這種經驗。

這種模式也驗證了藤原先生的理論。他人的話語刺激了大腦，使腦內累積的「沉澱物」得以攪拌，浮起來的知識逐漸成形。

由此可見，想激盪出新想法，平常就有必要增加腦內的沉澱物。沒有沉澱物的大腦，就像是少了亮片的雪花球，再怎麼搖動也無法形成新的形狀。沉澱物的種類越多，

搖動後浮現的形狀也越獨特。

在日本具代表性的數學家岡潔，在《春夜十話》一書中，也有異曲同工的形容：「**培養情趣，提升境界**」。為了產生新靈感，就有必要培養「情趣」，也就是拓展像道德、藝術和宗教等方面的知識。拓展知識的領域後，就會提高成形的可能性，也越容易激發靈感。

為什麼雪花球的隱喻，是解決閱讀悖論的線索呢？

答案就是「從沉澱到成形的時間差距」。透過蒂姆．英戈爾德《人類學為什麼重要》中「石頭」的故事帶給我的體悟，就會明白知識從沉澱到成形，需要間隔一段時間，無法立刻派上用場，而且隨機出現的形狀，也不是出於有意圖性的沉澱。像這樣的因果關係，也是不明確中的後見之明——簡單來說，我們努力將腦內沉澱物塑造成對工作有所幫助的形狀，其實是在白費功夫。

所以各位放輕鬆，秉持著「反正沉澱在腦中的知識，遲早會派上用場」的開放態度，照單全收地讓知識沉澱在腦內深處就好，這個心態就是最有效的閱讀法。

死去的沉澱物VS.活著的沉澱物

雖說如此，眾所皆知的是，大腦不是如此方便的儲存裝置。別以為只要把知識全都扔入腦內，等它浮起來就好，事情並非如你想的那麼簡單。雖然我曾說過「對不認真持肯定態度」，但想打造一顆雪花球大腦，還是需要相應程度的認真。

接下來，我會帶著各位思考該怎麼做，才能正確補充腦內的沉澱物。

首先，第一個大前提是，沉澱物分成「活沉澱物」和「死沉澱物」。「活沉澱物」

指的是在攪拌過後浮起來，最後可能會成形的某個記憶；另一方面，「死沉澱物」曾一度被大腦收藏，但最終會被直接遺忘，就算關鍵時刻也不會浮起來。

比方說，請各位試想自己過去一年讀過的某本書，請問書中有什麼「問題」和「答案」呢？你從中學到什麼？

相信很多人會說出「讀過」的事實，可是要用自己的話，做進一步論述卻是一大難題。若是這樣，代表你閱讀後產生的腦內沉澱物，可能已經死去了。

既然如此，該怎麼做才能讓沉澱物起死回生呢？關鍵在於「**銘刻於腦、冷藏封存、產生連結**」。

嗚吼吼～
專注！
銘刻於腦
來吧～
冷藏封存
這個跟這個……
連接起來……
產生連結

用適合自己的方法，將知識「銘刻於腦」

——知識內化的第一步

銘刻於腦，就是牢牢記住閱讀到的學問和感受。簡單說，別只是**閱讀文字**，也要試著**寫出來或是說出來**。

我過去曾把一些商業書名作，每本整理成四頁的圖解筆記。至於筆記的架構，一頁是整體摘要，然後搭配三頁分論。

為什麼要做圖解筆記呢？因為在畫圖的過程，能夠把學到的知識銘刻於腦。我將閱讀心得歸納成三點，思考淺顯易懂的架構，然後動手描繪……由於在繪製的過程中，也夾雜著讀後感，所以書中的內容會完美地灌輸在腦中。

由於有著讀過的內容會成為「死沉澱物」囤積於腦的危機意識，我認為圖解筆記是最適合自己的做法（畢竟我很愛畫無厘頭的插圖）。順帶一提，我後來將圖解筆記集結成冊，出版了《一目了然的商業書圖鑑》和《一目了然的商業書圖鑑：未來教養篇》，但這是意料之外的副產物，我只是憑著一股傻勁，去追求能有效將知識銘刻在自己腦內的最佳做法。

後來，我在聲音平臺 Voicy 開了自己的節目《荒木博行的 book café》，學會了新的做法，那就是「說出來」。

我會在讀完書後，將十分鐘的內容分成三天播放。要想談論一本書，不僅要重溫內容，還要思考書中架構，最後再正式錄音。待節目播出後，我還會重聽自己說過的內容，回答聽眾提出的問題和評論……這全部的過程，幫助我將讀過的內容化作腦內的「活沉澱物」。

而且我是連續三年全年無休，持之以恆地做下去（也就是連續一千天以上），因此我的大腦應該積累了一千天份的活沉澱物了吧（純屬個人猜測，畢竟我也沒看過自己的大腦）。

當然，將知識銘刻於腦的方法不僅限於「圖解筆記」和「廣播節目」，關鍵在於使用能讓知識在自己記憶內紮根的方法。也可以是心智圖、透過社群媒體發文、做個人閱讀筆記，或是與別人談論等等。

無論如何，別讀過書就算了，嘗試去建立自己的讀後習慣。只要傻呼呼地持之以恆，沉澱的知識就會在不知不覺中積極運作起來。

用輕鬆的心態閱讀，才能將知識「冷藏封存」

——知識內化的第二步

另一方面，「冷藏封存」是知識沉澱時少不了的步驟。雖然很多人會透過各種形式去實踐前述的「銘刻於腦」，但往往會忽略掉「冷藏封存」。

「冷藏封存」就是讀完書後，**將當時看不懂卻隱約覺得重要的部分，原封不動地保存起來**。例如，先前提過的蒂姆．英戈爾德那句「世界反而是接連不斷地在形成」，就被我「冷藏封存」在腦海裡。我會把看似意味深長，卻難以參透的話放入腦中的保冷箱，而不是直接略過它。

例如當我打開保冷箱，就會看到這段話：

應該去研究過去究竟有什麼。上帝在我眼中是個無限、獨立、全能和全知，並創造出人類及我想像的世間萬物的實體。越是審慎思考這一切，越認為不可能全憑一己之力辦到。由此可證，上帝必然存在。

抱歉，這裡的內容很艱澀難懂。這是笛卡兒在《沉思錄．我思故我在》中第三個沉思：「論上帝及其存在」。

當時我讀到這句時，我無法理解「全知和全能的實體」究竟是什麼樣的感受。雖然經常會感受到超越自我的無形之力，像是自然法則、運氣和緣分等。我認為超乎人類能想像的「無形之力」確實存在，但我從未感受過「無形之物」的「實體」。

讓存疑萬物的笛卡兒能輕易接受的「實體」究竟是什麼？需要透過宗教才能感受到「實體」嗎？由於缺乏真實感，所以這段證明上帝存在的內容，給我牽強又摸不著頭緒的感覺。

但在此同時，我也隱約預感到，人生撞牆期會是解開這個謎團的關鍵……因此我沒有忽略這段話，而是原封不動地冷藏封存起來（順帶一提，這個疑問在我後來重讀遠藤周作的《沉默》，思考上帝和「那個人」那段故事的意義時，才終於解凍）。

由此可見，我認為**保留未解的知識**很重要。太講求目的性的閱讀，遇到無法理解的概念時，腦內浮現「看不懂」三個字的瞬間，就會自動貼上「用不到」的標籤，選擇直接略過。

唯有抱著「閱讀未必要派上用場」的放鬆心態來閱讀，才能留意到這點。將知識原封不動的保存起來，期盼未來的自己能找到答案。那些保存起來的知識，會在自己受到某些衝擊時，帶來深遠的啟發（應該啦）。

順帶一提，我在智慧手機裡有準備一個「冷藏封存」專用箱，我會用打字、拍照等方式，好方便隨時取用，同時也會三不五時重溫內容，等待解凍的時機到來。

透過「產生連結」來攪拌腦袋

——知識內化的第三步

探討完「銘刻在腦」和「冷藏封存」後，最後的「產生連結」是我為了留下沉澱物的實踐行為。也就是把當前持續生成的沉澱物，與舊沉澱物有意圖性地連結起來。

例如姜峯楠（Ted Chiang）的科幻小說《妳一生的預言》（*Stories of Your Life and Others*），他透過這本小說提出一個問題：擁有預知未來能力的人，能否在知曉悲慘未來的情況下，依然活在當下？

讀完這部作品後，我透過「時間」這個關鍵字，試圖從讀過的卡羅・羅維理（Carlo Rovelli）的《時間的秩序》（*L'ordine del tempo*），還有塞內卡（Lucius Annaeus Seneca）的《論生命之短暫》（*On the Shortness of Life*）等書尋找答案。

結果卻冒出了新的問題，像是「時間該不會是極為相對的概念吧？」，還有「從大家都是活著邁向死亡的意義上來說，不就是明知未來而活在當下嗎？」。

在獲得新知識的時機，把新舊沉澱物強行連結起來。借用藤原先生的話，就是用這種方式攪拌腦袋，賦予奄奄一息的舊沉澱物嶄新的力量，並且慢慢增加腦內的活沉澱物。

總結來說，我在本章探討的是「閱讀是否有用」這個問題，而我的「**答案**」**就是要**「**忘記閱讀是否有用**」……也就是閱讀悖論。

無論你是多麼忙碌的商務人士，不對，正因為你很忙，所以才要享受這份矛盾來閱讀，這樣一來，閱讀肯定會對你有所幫助。

第6章

閱讀就是活著

若單論水俁病，責任隸屬於窒素公司，但身處時代中的我們也是「另一間窒素公司」。難道不是我們建立了追求「現代化」和「富裕」的社會嗎？如何解開、擺脫自身枷鎖，並邁步向前是一大課題。

——緒方正人，《我就是窒素：論水俁病》

讀而不思則罔

我在先前章節闡述了「選書方法」和「閱讀方法」。最後一章，我想先從某位哲學家的反批進行探討。

這位哲學家叫叔本華，他在《叔本華論閱讀》一書中，向讀者提出批判：

我們閱讀時，是用別人而非自己的頭腦來思考，只不過是重複他人的思想活動過程，就像學生習字時，按照老師用鉛筆所寫的字帖，拿筆依樣畫葫蘆。

叔本華提出了這種意見，甚至斷言「讀太多書會導致愚蠢」。對此，我們該如何反駁呢？對於叔本華的批判做出情緒反應前，試著再聽聽他想說什麼吧。

（中略）就像彈簧長久受到壓迫就會失去彈性的道理，讀太多書也會剝奪精神的彈性。若你想拋棄自己的思想，萬無一失的做法是一閒下來就看書。只要付諸實行，許多庸俗之輩的博學就會適得其反，漸漸失去精神的靈感，然後信筆亂寫，淪落到一事無成的窘境。

原來如此，別人強加在自己身上的想法，會讓自己的精神喪失原有的彈性，或許叔本華說的沒錯。如果持續這種馬不停蹄的「內耗閱讀法」，應該要有被書本支配的危機感。

經濟學家內田義彥曾說：「駕馭書本，而不是被書本駕馭。」這句話是否讓大家想起「盡信書不如無書」這句名言呢？

喝酒也是同樣道理，理性飲酒是沒關係，可一旦超量就會成為「不喝酒就活不下去」的非理性飲酒，其危險性也不言而喻。同理可證，像我這種書讀的越多的人，更應該留意別陷入「被書本駕馭」的局面。

掌握「狂熱」和「疑惑」的理想平衡點

究竟「駕馭書本」跟「被書本駕馭」的區別在哪裡呢？

答案就是「**狂熱和疑惑的平衡點**」。

「狂熱」指的是對書本概念和資訊產生共鳴，然後深信不疑；「疑惑」則是對書本感到矛盾、不安跟疑問的態度。

讀完書後，能夠深刻理解書中含意，毫無保留地認同，代表狂熱程度有十成。另一方面，讀完書也無法理解和認同其論點，最後只得到負面的讀後感，代表疑惑程度為十成。

那何謂狂熱和疑惑的「理想平衡點」呢？我認為最理想的狀態是「**狂熱佔七成，疑惑佔三成**」。而關於讀後的感受，最好是大致能對書中資訊產生理解和共鳴，卻又覺得自己還沒完全理解，或是懷疑書中的真實性。舉例來說，有些人可能會用「雖然內容不錯，但總覺得有點怪怪的」來表達這份感受。

然而，有誰喜歡讀完書卻感到煩悶呢？大家都想用豁然開朗的心情闔上書本吧。可一旦這麼做，大腦就會將該書歸納成「已結案」，非但不會重溫，甚至在案件告一段落後就會自動刪除。

讀完書後的煩悶感，**意味著你儘管闔上了書本，但在實質意義上依然在閱讀**。因為那本書為你帶來了新問題，因此你會想盡快結案。

為此，我們會重溫書本，聽取別人的想法，拼命地想結案本書，來消除那份討厭的感覺。這份疑惑會化為結案書本的原動力，同時也有助於顯化自我，甚至發自靈魂的吶喊著：「我豈能如此簡單被說服！我可不會輕易認同！」這份疑惑有助於奠定自我，避免自己被書本牽著鼻子走。

也許會有人覺得，十成疑惑不是更好嗎？十成的潛力似乎高於三成。然而只要疑惑超過三成，讀者想結案書本的原動力反而會大幅降低。

一旦讀者陷入「我甚至完全不知道自己不懂什麼」和「我已經無法信任這本書寫的內容了」的狀態，內心只會有滿滿的排斥感，壓根不想積極找出問題。

控制問題的方向性

但我覺得，有些書確實擁有令人無條件心醉神迷的魔力……人在一生當中難免遇過幾次這種書吧。雖然這樣也算是極致的幸福。

雖然任何書都有值得懷疑的地方，但我們很難去質疑這種書，所以我們必須去「控制問題的方向性」。

這是什麼意思呢？當我們打開一本書，我們的問題自然會指向書本或是作者，像是「這段內容是什麼意思？」或是「作者想表達什麼？」

在閱讀的過程中，諸如此類的「問題」會不斷重複浮現再消失。如果讀完書後，這些問題都消失的一乾二淨，讀者就會得出「我徹底讀懂了，真是本好書」的結論。

讀後感越是感覺良好，越要嘗試去控制問題的方向性，將問題導向「自己」。例如我們可以將問題具體化，像是「讀了這本書後我該如何行動」，或是站在作者的角度提出問題：「如果我是作者又會怎麼寫？」

我想再稍微補充說明，何謂站在作者的角度提出問題。具體來說，就是進行一場思考實驗：「假設我也有相同問題，想寫本相

同主題的書，自己會怎麼安排章節大綱和文筆去詮釋呢？」這也可以說是書本的「逆向工程[7]」。

做了這場思想實驗後，你會發現越令人痴迷的書，越會帶給人一種絕望感。換句話說，最後你會意識到，任憑自己想破頭，也無法用相同方式寫出這本書，這股油然而生的絕望感，就會成為新的「疑惑」。

註7：Reverse Engineering，如字面上是工程用語，指從成品去反向分析設計圖和構造的方法。

疑惑會催生嶄新自我

舉例來說，我最喜歡的書是友人近內悠太先生寫的《世界由贈與所構成》。接下來我會以此為例進行說明。

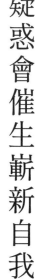

本書榮獲第二十九屆山本七平獎[8]，該書的評價也是不言而喻。普遍來說，這是本讀完後會有十成狂熱也不足為奇的好書。

但我選擇先踩煞車，開始對這本書進行逆向工程，也就是想像自己準備寫本以

「贈與」為題的書，當我意識到自己與這本書的距離感後，不免感到有點絕望。一言以蔽之，我不瞭解這本書的架構。

雖然我在閱讀的過程，能感覺到內容的整體走向，但我覺得整體走向像是在閒聊，充滿了即興發揮的要素。雖然作者從各種角度闡述了「贈與」，卻沒有明確論述它的定義，而是作為局外人，信步遊走於「贈與」一詞的外圍，從遠處眺望著它。

然而，正是「閒聊」和「信步遊走」的筆法增加了本書的韻味，但我不明白它是怎麼辦到的……讀完本書的我實在無法想像。儘管著迷於本書，但我內心卻滋生出疑惑的種子。

直到我日後讀到《石英》（*Quartz Japan*）雜誌的問答連載專欄第七十集「住宅區的設計原理」，從編輯若林惠引述藝術家布萊恩．伊諾（Brian Eno）話語的文章中，看到了解決問題的眉目：

註8：為日本社科人文領域的代表性學術獎項。

人們傾向將藝術視為建築。在建造任何事物前，一定要有「計畫」和「願景」，當兩者有了雛形後，才會開始想像要建造什麼。但我個人覺得，思考藝術創作時，反而是園藝的思考邏輯更為有用。灑下好幾顆不同的種子，觀察它們成長過程中會發生什麼事，還有彼此間如何產生關聯。雖然不能說是毫無計畫性，但是這個過程是在自己和他人相互影響下才會出現，所以步調是掌握在他人手上。

看到這段內容時，我突然靈機一動：「近內先生是否也用這套邏輯來撰寫本書呢？」由於那本書沒有結論，所以無從反向推演。也許他這麼做的動機，是先在自己內心灑下「贈與」這顆種子，從旁觀察它如何在內心滋長，最後像個園丁般，把自己內心醞釀出的想法整理成書吧。因此整本書的風格，才會使我聯想到「聊天」和「漫步」等關鍵字，給人一種輕鬆自在的印象。

以上純屬個人見解，未必是實際情況（雖然我隨時可以問他，但近內先生感覺會滔滔不絕，所以我不敢問）。但我也是先有「疑惑」才會獲得這個想法。對我來說，園丁式的寫作手法是一個重大的發現（其實本書也是採用此手法，我不是先規劃好藍圖才寫書，而是將內心萌生的話語整理成書）。如果我對他的書抱持著「十分狂熱」，也許這輩子都想不到這個想法吧。

雖然叔本華批判閱讀會使人喪失自我，但只要內心保持「疑惑」，用自己的頭腦思考，多閱讀也能是持續催生新自我的行為，這也是我針對叔本華提出的「問題」給出的「答案」。

令人始終存疑的「消極感受力」

我以自身案例說明了抱持「質疑」的意義和重要性，然而想付諸實踐，還需要一種能力，那就是「**消極感受力**」。

「消極感受力（Negative Capability）」的概念，源自十八世紀的英國詩人約翰・濟慈（John Keats）。由於精神科醫生帚木蓬生在《消極感受力》一書中，對此進行了詳細的介紹，讓越來越多人認識了這個概念。

我們在日常生活通常運用的是「積極感受力」，也就是發現及解決問題的能力。只要發生問題，就要立刻看清問題的本質，採取因應措施，諸如此類的積極能力，持續不斷地受到鍛鍊。

但是，對於超出自己能力範圍，非目前應該解決的問題，難道也要焦急草率地提出解決方案嗎？再說這份焦慮感反而容易衍生出更多問題吧？

對於過度傾向發現和解決問題的「積極感受力」，站在對立面的「消極感受力」，則是教導大家**別急著解決問題，以及暫緩處理問題的必要性**。

在《消極感受力》一書中，曾介紹小說家黑井千次先生的這段話：

> 話雖如此，也只能重新思考。面對謎團和疑問，最好不要輕易給出答案。懸而未解的謎團，是否會因為灌溉了人的存疑而成長茁壯，進而孕育出更豐富的謎團呢？我總覺得某些情況下，更深奧的謎團中，隱含著遠比膚淺答案更高的價值。

讀完書後產生的煩悶感，往往很難用言語形容，很像是對於某種東西感到不安、不滿足或是匪夷所思。

由於書本是「第三方思想的入侵」，所以越是標新立異的思想，身體會微微地產生排斥反應。因為我們對於這份排斥反應感到陌生，所以會想拼命擺脫這個處境，好消除這種不安感。

不過，這份煩悶感在得到「答案」後就會「死去」。待矛盾感消失後就會宣告落幕。然而，正如黑井先生所說，因焦慮反射性提出的「答案」，大多是膚淺的想法。當你習慣用反射性答案打發剛萌生的問題，最終就會成為內田義彥口中那種「被書駕馭的人」。

結論就是我們必須努力讓自己抱持疑問，並且培養問題。不要努力得出答案，而是努力不得出答案，還有努力不忘記「提問」的重要性。

一旦愛上了一本書，你該做的並不是闔上書本，而是試著找出可疑之處。然後面對萌生的「問題」，對於「答案」持保留態度，耐心等待「答案從天降臨的瞬間」。這樣一來，我們就能透過「閱讀」加強鞏固自我吧。

越來越多人忘記懷抱疑問的重要性

我覺得「抱持疑問」的價值，在當今社會有越來越高的趨勢。大部分的「問題」都可以透過 Google 搜尋到「答案」，可能也間接導致大家對於「**問題的容忍度**」越來越低。

試想在沒有網路搜尋引擎的年代。我們遇到不懂的問題，只能跑去圖書館或書店查書，或是直接請教別人（當然也無法在社群媒體平臺廣泛徵求答案）。也就是說，過去基本上有任何疑問，在得到答案以前，也只能持續抱持「問題」繼續生活。

但在這短短幾十年間，已經從「懷抱疑問」為前提的時代，轉變成「立刻解決問題」的時代。這種時代變遷在無形中改變了我們對於「問題」的態度。懷抱「問題」代表自己極度缺乏效率，所以會千方設法想解決問題。

但是，無論我們能獲取多少訊息，周圍環境依舊充滿了未知數。

「心存在哪裡？」

「自由意志存在嗎？」

「世上存在著絕對的真理嗎？」

冷靜想想，會發現世上有太多未解之謎。但我們的生活中充斥著各種好用的工具，給人什麼都知道的錯覺，也忽略掉人必須「懷抱疑問」的重要性。

「平凡的邪惡」會讓人忘記懷疑

在談論抱持疑問、持續思考的重要性之前，我想先跟大家聊聊漢娜·鄂蘭（Hannah Arendt）的《平凡的邪惡》（*Eichmann in Jerusalem*）。該書描繪了前納粹親衛隊中校阿道夫·艾希曼（Otto Adolf Eichmann）在耶路撒冷展開戰爭罪刑的審判情況，他曾是將猶太人送往集中營的主要負責人，出版當時引發諸多爭議。如果是在有社群媒體網路的現代出版，肯定會掀起軒然大波。

為什麼這部作品會飽受爭議呢？部分因素是艾希曼批評審判的中立性，還有他揭露有些猶太人也是納粹的共犯，但更重要的是，作者漢娜．鄂蘭對於執行納粹大屠殺指揮官艾希曼的所作所為，做出了「平庸之惡（the banality of evil）」的結論。

> 彷彿在最後幾分鐘，總結了人性之惡這門漫長課程給我們的教訓：那令人喪膽的、蔑視一切言語和思想的**平庸之惡**。

當時焦急等待這場審判的猶太人們，認為艾希曼是應該被判處死刑的邪惡存在，他們迫切渴望艾希曼因為自身的邪惡而被判處死刑。但漢娜認為他並不邪惡，只是停止思考的「平庸之輩」。她於本書中闡明了艾希曼只是個平凡人，在組織內部甚至是位出色的執行者。循著漢娜的說法進一步延伸探討後，就會得出這個結論：「人人都有可能成為下一位艾希曼。」

這本書受到強烈抨擊的最大原因，在於漢娜提出的論點，讓許多猶太人恐懼艾希曼的詛咒，會像迴力鏢般回到自己身上，同時也對於自己被與艾希曼相提並論感到排斥和厭惡。

當然她並不是主張艾希曼無罪。我想在本書結尾，引用漢娜對於艾希曼的評價：

（中略）為了更深入討論，假設你（艾希曼）成為大屠殺組織內聽命行事的工具，誠然是你的不幸吧。但這不能改變你積極支持執行大屠殺政策的事實，因為政治不是小孩的遊樂場。在政治層面上，服從形同支持（中略），這就是你必須被絞死的原因，也是唯一的原因。

※（艾希曼）為原作的註釋。

總而言之，無論有多大的團體壓力，如果不加批判、停止思考聽命行事，也與支持同罪。

時至今日，「停止思考可能也有罪」的論點仍然值得我們深思。

●用自己的頭腦閱讀

因為讓人停止思考的因素無處不在。雖然高層的施壓等人際關係的思想控制，從古至今都沒有改變，但是在社群媒體等虛擬空間，依然存在著「你應該這樣想」的從眾壓力。

那群忘記對於隱約浮現的矛盾感提出諸多懷疑的人，渾然不覺自己已陷入狂熱，最後被社群平臺等肉眼看不見的龐大力量逐漸控制，就像艾希曼堅稱自己無罪，只是在服從組織的命令，有罪的應該是納粹……

這種行徑就是叔本華口中「寫字時按照老師的字帖，拿筆依樣畫葫蘆」的愚蠢象徵吧，這份愚蠢經常與我們只有一線之隔。

多閱讀未必能解決這種情況。讀到好書，儘管醉心於其思想，但也不忘「懷疑」，然後抱持衍生的「問題」，磨練自己對於未解問題的容忍力，是我們必須銘記在心的閱讀態度。

質疑「存在」的價值

我想拿起本書的讀者，多半是生活忙碌的商務人士吧。一旦進入職場，不管自己是否有意願，會被迫接受很多任務，然後被上司或主管定期分配定量目標，每天過著逐一刪除待辦事項，品味著微薄的成就感，庸庸碌碌的生活吧。

但若是無法為生活製造抱持「問題」的餘地，我們就沒資格批判淪為「聽命行事道具」的艾希曼。

哲學家尚—保羅·沙特（Jean-Paul Sartre）在《存在主義即人文主義》（*L'existentialisme est un humanisme*）一書曾說：

> 人是後來才開始成為人。人的存在，是自己創造自己。由此可見，人的本性不存在，因為沒有上帝去思考人的本性。人只不過是自己認為的那樣，而且也是他願意成為的那樣，是存在後自己思考的那樣，從不存在到存在後願意成為的那樣而已。人除了自己創造的那樣以外，什麼都不是。

這段描述有點難懂，但簡單來說，「你是誰？」這個問題的答案，並非取決於他人或組織，而是你自己才能決定。

如果你隸屬於某個組織，就會被分配到組織內部應該承擔的職責，頭銜也是取決於職責。但被決定的頭銜和職責，並不能代表你本身。

自己究竟是為了什麼而存在——請大家**抱持著這個得不到答案的「問題」，挑戰能否找出「答案」**吧。

也許這個答案在你彌留之際才會出現，也有可能終極一生找不到。但持續提問的態度，就是沙特那句「人除了自己創造的那樣以外，什麼都不是」的真正含意。

最後，雖然這麼說有點浮誇，但我認為「**閱讀**」**這個行為形同於**「**活著**」。儘管接收來自第三者的強烈訊息，卻依然會抱持著少許懷疑，不會被其吞噬，然後等待最終浮現的「答案」。

「在接受他人思想的同時，也保有微小的自我主張」的這種閱讀，會間接鍛鍊自己的「生存力」。

結語

「用閱讀開拓新道路」的真正意義

「閱讀」改變了我的職涯，而閱讀帶來的奇蹟，多半是在意想不到的時刻降臨。舉例來說，我讀了買給兒子的繪本《三個強盜》（*The Three Robbers*）（湯米・溫格爾〔Tomi Ungerer〕的作品）。當孤兒芬妮看到強盜們拼命積攢的金銀財寶時大叫：**「天啊，這些是做什麼用的？」**

這個天真的問題，彷彿在問我：「你到底想把拼命積攢的知識和技能，用在什麼地方？」當時在職涯上毫不懷疑始終向前衝刺的我，不由得省思了起來。

我在閱讀雷・布萊伯利（Ray Bradbury）的科幻小說《華氏４５１度》（*Fahrenheit 451*）時，一段故事情節觸動了我。主角蒙塔格是為了控制思想而焚書的消防員，他也為此感到自豪，直到有位少女突然問了他一個問題：

「晚安！」雖然少女加快了步伐，但好似想起了什麼，轉身走了回來，用盈滿驚訝和好奇的眼神凝視著蒙塔格。「你幸福嗎？」

讀到這裡，我感覺自己就像表面佯裝鎮定，但內心波濤洶湧的蒙塔格一樣，被這句唐突而天真的話語深深撼動。如果那位少女，同樣用盈滿驚訝和好奇的眼神凝視我，問我相同的問題，我能直接回答她嗎……？

當然，無論是《三個強盜》還是《華氏４５１度》，都不是我在閱讀之前，認為會給自己職涯帶來省思的書。但結果來說，在這個時機點邂逅的這些書，都成了我人生的轉捩點。

未來我也不會興沖沖地抱著「用這本書改變人生」的想法拿起書，單純是因為自己喜歡，還有基於對書的好奇才讀，僅此而已。然而，我相信不預設太多立場的閱讀，與意想不到的書本相遇，將會再次改變我的人生。

我寫這本書是因為有人請我以「用閱讀開拓新道路」為題，幫助那些為了職涯的下一步該往哪去而煩惱的人，但比起「用閱讀開拓新道路」這種主觀色彩濃烈的說法，不如說讀者是**在書本的引導下「找出新道路」**。

這才是我想面對書本的方式。

說穿了，閱讀就是閱讀，只不過是用眼睛追逐印在紙上的墨漬而已，用不著過度期待。但也不要放過遇見好書的大好機會。我也樂見更多人能秉持這種彈性思維，與書本經營長期的關係。

VOOX 總編輯岩佐文夫先生邀請我分享對於閱讀的看法，其訪談內容奠定了本書的基礎概念，在此感謝岩佐先生和洪先生的邀約。

另外，本書也基於我每天在 Voicy 所談論的內容，所以我想借此機會感謝各位忠實聽眾們，還有 Voicy 公司跟支持我節目的 Flier 的大家。除此之外，Podcast《超相對性理論》的節目內容，也給了我寫作的靈感。在此感謝本節目的聽眾，以及我的主持搭檔渡邊康太郎先生和深井龍之介先生。

同時也承蒙本書責任編輯，日本實業出版社的川上聰先生的多方關照。如果沒有川上先生的邀稿，我也不會對於閱讀有如此深入的思考。同時也謝謝協助執筆的真田晴美小姐。

最後感謝從旁支持我寫作的老婆昌子、兒子創至跟大志。儘管兒子們尚未對於閱讀開竅，但願他們有天能察覺到閱讀的可貴。

荒木博行

執筆於二〇二二年一月

感謝各位
讀到最後！
（本書插圖全
出於作者之手）

附錄

塑造自我的閱讀清單

這64本書成就了今日的我

附錄的六十四本書是作者的藏書，部分可能已絕版。以下無中譯本的書，書名皆為直譯。

前言

1.《純粹理性批判：康德三大批判之一》康德／著

Kritik der reinen Vernunft by Immanuel Kant

解開人類「理性」真面目的哲學書。

有志於哲學研究的人，請務必征服這座大山。半途而廢的話肯定會遇難（我也曾有一度遇難經驗）。

2.《SHIFT：創新規則》濱口秀司／著

SHIFT：イノベーションの作法

濱口先生是ＵＳＢ隨身碟設計人。本書只有電子書且超過四千日幣（約臺幣八八〇元）的價格，也在考驗著讀者對創新的認真程度。

序章

3.《玫瑰的名字》安伯托．艾可／著

Il nome della rosa by Umberto Eco

歷史懸疑小說的傑作。中世紀歐洲深層世界觀令人一讀就上癮。雖然也有拍成電影，但還是應該先用小說來醞釀內心的想像。

4.《人工智慧講義》梅拉妮．米歇爾／著

Artificial Intelligence by Melanie Mitchell

面對「何謂人類」的問題，光是觀察人類也搞不懂，但透過與AI對比可找到答案。所有答案都在對比之中。

5.《別想擺脫書》安伯托．艾可等／著

N'esperez pas vous debarrasser des livres by Umberto Eco, Jean-Claude Carriere, Jean-Philippe de Tonnac

一如其書名，作者宣稱「紙本書不會消失」存在感十足。簡而言之，本書超有份量，裝幀精美，忍不住會想收藏到書架上。

第1章

6.《普魯斯特與烏賊》瑪莉安・沃夫／著

Proust and the Squid by Maryanne Wolf

這是本探討閱讀與大腦關係的好書。奇妙的書名增添了這本書的韻味，《回家吧！迷失在數位閱讀裡的你》（*Reader, Come Home*）也是必讀好書。

7.《早晨》谷川俊太郎／著；吉村和敏／攝影

あさ／朝

雖然書名是《早晨》，但是從後面開始讀就成了《黃昏》。這是谷川俊太郎關於早晨和黃昏的詩集。其中《早晨的接力》是名作。

8.《讀書與人生》小林秀雄／著

読書について

小林秀雄關於閱讀的散文集，算是素以艱澀難懂著稱的小林秀雄的作品中，較易懂好讀的一本作品。然而，與淺顯易懂的敘事手法相反，能從字裡行間感受到深奧之處，不愧是秀雄老師。

9. 《金閣寺》三島由紀夫／著

三島由紀夫的經典名作，無須說明。希望沒讀過的人務必去讀。

就算是微不足道的小事，透過三島的描述功力，都會變成充滿戲劇性和人情味的情景。

10. 《沉默》遠藤周作／著

回想起來，這本《沉默》讓我過去有段時間瘋狂閱讀遠藤周作的作品。狐狸庵系列的詼諧內容，讓人很難相信出於同位作家之手，這份反差感真的很棒。

11. 《變形記》法蘭茲．卡夫卡／著

Die Verwandlung by Franz Kafka

主角一覺醒來，發現自己變成了一隻巨大甲蟲的荒謬故事。兒子前陣子讀完後跟我說：「實在看不懂。」沒錯，這個世界上淨是些莫名其妙的事。

12.《驚奇之心：瑞秋卡森的自然體驗》瑞秋・卡森／著；森本二太郎／攝影

The Sense of Wonder by Rachel Carson

這是終年擺在我書桌上的作品。說個題外話，我的夢想是老了以後，買間海邊小屋，在寫作的同時扮演卡森的角色，向我的小孫子訴說大自然的美好。

13.《留給後世的最偉大遺產》內村鑑三／著

後世への最大遺物

本版本還附贈《丹麥國的故事》，也是值得一讀的好故事。順帶一提，這個故事的情節雖然精彩，但內容究竟有多少符合史實則不得而知。

14.《普魯斯特評論選集》馬塞爾・普魯斯特／著

普魯斯特以《追憶逝水年華》著稱。但篇幅長到我至今還不敢看。只讀過這本評論選集的我，大概沒資格談論普魯斯特。

15.《流星，時光休旅車》重松清／著

流星ワゴン

這本書相當催淚，我看連續劇時也哭了。雖然我有兩個兒子，但我有時候會想，如果我跟他們同歲，會和他們做朋友嗎？我想也許可以吧。

16.《叔本華論閱讀》亞瑟．叔本華／著

在閱讀本書前，希望大家先上 Google 搜尋叔本華，看看他白髮衝冠的容貌，相信大家會被他的渾然天成的魄力懾服。我在本書中稍微反駁了叔本華的論點，希望他不要知道。

第2章

17.《沉思錄．我思故我在》勒內．笛卡兒／著

Meditationes de prima philosophia by René Descartes

我仿照笛卡兒，從週一到週六整整一週，每天進行自我省察，雖然執行時感到後悔萬分，但做完後卻感到神清氣爽。大家也來自我省察吧！

18.《二十一世紀資本論》托瑪・皮凱提／著

Le Capital au XXIe siècle by Thomas Piketty

活像是磚頭。這本要價不斐的磚頭在日本居然如此暢銷。想必出版社也沒料到吧。由於這本書爆賣，所以出版業的未來還是很有前景的吧。

19.《羅生門》芥川龍之介／著

雖然五分鐘就能讀完，卻是令人回味無窮的短篇小說。說個題外話，我在國中時，有某位同學考試時把芥川寫成了「茶川」，此後那傢伙的綽號就變成了「茶川」。

20.《蘇格拉底對話集》柏拉圖／著

這本書讓過去只看商業書的我，發現了哲學書的有趣之處，然後一發不可收拾，從此迷上柏拉圖的作品集。冷靜想想，一本書居然能影響到兩千五百年後的人類，真的很厲害。我寫的這本書能遺留到四千五百年後嗎？

21. 《藍皮書》維根斯坦／著

The Blue Book by Ludwig Wittgenstein

對於維根斯坦所知甚多的朋友近內悠太先生推薦給我的一本書。雖然艱澀難懂，卻會漸漸地感覺到，維根斯坦難搞和可愛並存的人格（個人感想）。

22. 《索拉力星》史坦尼斯勞．萊姆／著

Solaris by Stanislaw Lem

前半段的情節略帶恐怖和懸疑，讀到後半段就走向深度科幻內容。一旦讀了第一頁就會欲罷不能，請特別留意。

23. 《不實在的現實》唐納德．霍夫曼／著

The Case Against Reality by Donald Hoffman

這是我在二〇二一年讀過的書中，最令人震驚的一本書。我們肉眼所見之物，很可能只是圖標。其背後的真實物體究竟是什麼模樣呢？

24. 《40%的工作沒意義，為什麼還搶著做？》大衛．格雷伯／著

Bullshit Jobs by David Graeber

有四成人覺得，自己的工作在世上消失也無關緊要。面對「為什麼狗屁工作不會消失」的提問，請大家試著捫心自問自己的工作是否有意義吧……

25. 《人性的弱點》戴爾．卡內基／著

How to Win Friends & Influence People by Dale Carnegie

經典的自我啟發書。雖然偶爾有人會批評是「老生常談」，但我覺得人格高尚的人不太會說出這種話。看過一輪後，還是覺得這本書很重要。

26. 《圖鑑　大企業為什麼倒閉？》荒木博行／著

世界倒産図鑑

總結了從古到今、東西方二十五間破產公司的背景跟啟發。我告訴朋友：「我正在寫本關於破產公司的圖鑑。」結果他回我：「聽起來很有趣！哪種爸爸會被列進去？」（註：日語的破產跟父親同音。）

27.《失敗讓你更成功》荒木博行／著

世界「失敗」製品図鑑

破產圖鑑的續集。繼父親之後換母親嗎……抱歉讓各位期望落空了，我列出了產品、事業和服務的失敗案例。

第3章

28.《你想活出怎樣的人生？》吉野源三郎／著；脇田和／繪

君たちはどう生きるか

由於漫畫版熱賣，重新受到注目的經典名作。願不久的將來，自己也能成為這位大叔，傳達給年輕人一些重要的觀念。

29.《活寶三人組》那須正幹／著；前川かずお／繪

それいけズッコケ三人組

家喻戶曉的傑作。日本每間小學圖書館肯定都會有。順帶一提，讓人驚訝的是，這系列還出了續集《中年活寶三人組》和《熟齡活寶三人組》（我不敢看）。

30.《怪人二十面相》江戶川亂步／著

這本書是我國小時代的聖經。我讀完後，對一個小學生來說，有著恰到好處的恐怖和爽快感，書中的世界觀很棒。

31.《學習的王道》喬希．維茲勤／著

The Art of Learning by Josh Waitzkin

聽到獲得輝煌成就的人說「西洋棋和武術都一樣」也無話可說。職涯產生重大變化的人務必一讀。

32.《烏賊哲學》波多野一郎、中澤新一／著

イカの哲学

繼《普魯斯特與烏賊》後第二本烏賊系列的書。最近《魷魚遊戲》影集也很紅，考量到都是名作，也許存在一個法則，就是買烏賊／魷魚就不會出錯。順帶一提，章魚系列還有一本名作是《章魚，心智，演化》（*Other Minds*）。

33.《具體與抽象》細谷功／著

具体と抽象

針對「具體和抽象」深入探討的一本書。我感覺只要精通這個概念，就能解開這個世界的構造（終究是印象理論）。

34.《車輪下》赫曼．赫塞／著

Unterm Rad by Hermann Hesse

最常見的書名是《車輪下》，但也有譯名為《在車輪下》。我讀的日文版譯名是《在車輪下》。

第4章

35.《波赫士的魔幻圖書館》波赫士／著

Borges on Reading by Jorge Luis Borges

收錄在《傳奇集》的短篇小說。安伯托·艾可的《玫瑰的名字》好像也有受到這本書的啟發。我在不知情的情況下閱讀後，才赫然發現：「咦？這個情節……很像波赫士的魔幻圖書館。」

36.《如何閱讀一本書》莫提默・艾德勒、查理・范多倫／著

How to Read a Book by Mortimer J. Adlerm, Charles Van Doren

可謂「閱讀」的經典名作。基於內田義彥先生的名言「駕馭書，別被書駕馭」，就能理解這個翻譯書名的絕妙感。書，是用來讀的。

37.《書的使用法》出口治明／著

本の「使い方」

知名閱讀家出口先生的閱讀論。書中除了能學到出口先生的閱讀法，其生活方式也讓人受益匪淺。我也想不受年齡侷限，持續進行各種挑戰。

38.

《不用讀完一本書》皮耶・巴亞德／著

Comment Parler Des Livres Que l'on n'a Pas lus? by Pierre Bayard

與目中無人的書名相反，內容卻相當精實。我覺得閱讀門檻有點高，所以才會有人宣稱自己讀不下去。

39.

《認識媒體：人的延伸》麥克魯漢／著

Understanding Media by Herbert Marshall McLuhan

收錄了麥克魯漢的名言「媒體即訊息」的重要作品。只要提高抽象程度，世間萬物都能成為媒體，內容相當刺激。

40.

《囤書才是完美的閱讀法》永田希／著

積読こそが完全な読書術である

每天都被囤積的書圍繞著生活的我，讀了這本書後，不禁拍案叫絕地認為「英雄所見略同」！沒錯，我正在創造一個自我思考的生境！

41.《柏拉圖〈斐德羅篇〉：論修辭術》柏拉圖／著

Phaedrus by Plato

這本書我已經擺在桌上快一年了。而且擺放在書桌的視線前面。我手邊的是西洋古典叢書版，它高雅的書背每天都在向我傳達訊息（「快讀我！」）。

42.《尼各馬可倫理學》亞里斯多德／著

The Nicomacheam Ethics by Aristotle

這本書擺在斐德羅的旁邊。同樣是西洋古典叢書版，它高雅的書背每天都……（以下省略）。

43.《神曲》但丁．阿利格耶里／著

La Divina Commedia by Dante Alighieri

這本也是我的鎮桌之寶。裝幀精美，插圖也豐富。只要隨手翻閱，就能隨時前往中世界的世界旅行，令人想細細品味。

44.《作為意志和表象的世界》亞瑟．叔本華／著

Die Welt als Wille und Vorstellung by Arthur Schopenhauer

在我書桌上的左手邊。雖然是平裝版，沒什麼存在感，但由於有三冊，頁數還是給人極大的壓迫感。旁邊是同為平裝版的斯賓諾莎（Benedictus de Spinoza）《倫理學》（*Ethics*），紅色書背相當搶眼。

45.《卡拉馬助夫兄弟們（上、下）》杜斯妥也夫斯基／著

Brothers Karamazov by Fyodor Mikhailovich Dostoevsky

閱讀過程一度受挫，變得搞不懂人物關係了。考量到自己是讀了 Kindle 版才失敗，下次挑戰時，我打算端坐在書桌前，認真閱讀紙本書。

第5章

46.《為什麼讀經典》伊塔羅．卡爾維諾／著

Perché leggere i classici by Italo Calvino

最有趣的部分是卷頭對於經典定義的描述。書中的引用內容都是令人印象深刻的定義，是會對閱讀有特別影響的書……沒錯，這種書確實存在。

47.《閱讀與社會科學》內田義彥／著

讀書と社会科学

說來慚愧，也許《我們為什麼要閱讀？》的深度只有內田先生這本書和叔本華的書相加後的十分之一。雖然內容有異曲同工之妙，但礙於我才疏學淺，導致本書的內容很單薄……

48.《重塑組織（插圖入門版）》弗雷德里克・萊盧／著；艾蒂安・阿佩爾／繪

Reinventing Organizations by Frederic Laloux, Etienne Appert

如此厚重又抽象的組織論點，在日本的銷量居然突飛猛進。當時很多人紛紛追問我：「我們公司該如何成為『青色組織』（teal，意指沒有管理者的組織）？」但內容距離實際太過遙遠，我實在束手無策，是本令我難以忘懷的書。

49.《人類學為什麼重要》蒂姆・英戈爾德／著

Anthropology: Why It Matters by Tim Ingold

來自朋友推薦，也是我第一次接觸英戈爾德的著作。我感動到如飢似渴地閱讀著，它開啟了我對於文化人類學的興趣大門。

50.《哲學的誤送》東浩紀／著

哲学の誤配

渡邊康太郎先生在訪談中曾提過「誤送」一詞，我在那場訪談結束的隔天買下了它。誤讀和誤送。我總覺得在「錯誤」之處存在著非連續性的飛躍種子。

51.《如何有效閱讀》藤原和博／著

本を読む人だけが手にするもの

是給我「雪花球理論」雛形想法的書，由於已經內化為我的理論，所以本書內容中哪個部分是藤原先生的論點，已經不得而知了。

52.《春夜十話》岡潔／著

春宵十話

數學家岡先生的散文集，淺顯易懂卻發人省思。雖然在本書沒有提及，但我經常引用「邪智、妄智、真智」的框架。

53.《一目了然的商業書圖鑑》GLOBIS、荒木博行／著

見るだけでわかる！ビジネス書図鑑

當我決定離開GLOBIS時，文思泉湧、靈感爆棚地寫了這本書。雖然在此之前已經合著了約五本書，但本書可算是我實質上的處女作。

54.《一目了然的商業書圖鑑：未來教養篇》荒木博行／著

見るだけでわかる！ビジネス書図鑑 これからの教養編

第一本商業書圖鑑成為熱門話題後執筆的續作，但是這本卻乏人問津。雖然我對於選書自信滿滿，但可能曲高和寡吧。

55.《妳一生的預言》姜峯楠／著

Stories of Your Life and Others by Ted Chiang

由姜峯楠執筆，電影《異星入境》（*Arrival*）的原著短篇小說。改編的電影也很棒，但先閱讀文字較能激發想像力，所以推薦大家先看小說。

56.《時間的秩序》卡羅·羅維理／著

L'ordine del tempo by Carlo Rovelli

被譽為「天才物理學家」的羅維理，為各位打破時間的常識概念，帶領你邂逅嶄新的問題：「現在是什麼？未來是什麼？」

57.《論生命之短暫》塞內卡／著

On the Shortness of Life by Lucius Annaeus Seneca

斯多噶主義哲學家塞內卡的經典名作。「沒時間」和「時間轉瞬流逝」的說法從古至今都沒改變。然而，沒時間終究是自己的錯，也是不變的事實。

第6章

58.《我就是窒素：論水俣病》緒方正人／著

チッソは私であった：水俣病の思想

水俣病患者原諒了加害人窒素公司，重新將罪行理解成自身也有責任的「文明之罪」，帶給我很大的衝擊。從作者的角度來看，「何謂責任？何謂罪行？」這些問題相當發人省思。

59.《世界由贈與所構成》近內悠太／著

世界は贈与でできている

回顧出版之際，本書責任編輯富川先生介紹近內先生給我認識，Voicy的訪談是我們雙方初次相遇，爾後意氣相投，一下子就成為了朋友。是與我相談甚歡的哲學家的處女作。

60. **《消極感受力》帚木蓬生／著**

ネガティブ・ケイパビリティ

我本來就是帚木蓬生先生小說的頭號粉絲。我認為負面感受力的概念，是當今時代不可或缺的重大要素之一。

61. **《平凡的邪惡》漢娜．鄂蘭／著**

Eichmann in Jerusalem by Hannah Arendt

推薦大家去看電影《漢娜鄂蘭：真理無懼》（*Hannah Arendt*）。我很清楚本作品帶給猶太人社會帶來多大的影響，也引發了軒然大波。她與教授馬丁．海德格（Martin Heidegger）的關係亦然。

62. **《存在主義即人文主義》尚—保羅．沙特／著**

L'existentialisme est un humanisme by Jean-Paul Sartre

記錄了沙特的演講和討論內容。由於是演講集所以較淺顯易懂，是存在主義的入門書。反駁和對應相當生動，話不投機的感覺也很不錯。

結語

63.《三個強盜》湯米・溫格爾／著；繪

The Three Robbers by Tomi Ungerer

我們一家去星野集團渡假村「RISONARE山梨八岳」度假的時候，二兒子想待在圖書館，所以買了這本書給他。沒想到這本繪本也深深影響了我。

64.《華氏451度》雷・布萊伯利／著

Fahrenheit 451 by Ray Bradbury

想像一個禁止書本存在的世界，突顯出書本這種媒體的價值。想了解事物的價值，只要想像少了它的世界就好。就像是描寫自己不存在世上的電影《風雲人物》（*It's a Wonderful Life*）一樣。

翻轉學　翻轉學系列 126

我們為什麼要閱讀？

在資訊爆炸的年代，你更要知道自己在讀什麼？怎麼讀？為何而讀？

自分の頭で考える読書

作者	荒木博行
譯者	姜柏如
封面設計	鄭婷之
內文排版	許貴華
責任編輯	洪尚鈴
行銷企劃	蔡雨庭、黃安汝
出版一部總編輯	紀欣怡
出版者	采實文化事業股份有限公司
業務發行	張世明・林踏欣・林坤蓉・王貞玉
國際版權	施維真・王盈潔
印務採購	曾玉霞・莊玉鳳
會計行政	李韶婉・許俽瑀・張婕莛
法律顧問	第一國際法律事務所　余淑杏律師
電子信箱	acme@acmebook.com.tw
采實官網	www.acmebook.com.tw
采實臉書	www.facebook.com/acmebook01
ISBN	978-626-349-587-6
定價	340 元
初版一刷	2024 年 3 月
劃撥帳號	50148859
劃撥戶名	采實文化事業股份有限公司
	104 台北市中山區南京東路二段 95 號 9 樓
	電話：(02)2511-9798　傳真：(02)2571-3298

國家圖書館出版品預行編目資料

我們為什麼要閱讀？：在資訊爆炸的年代，你更要知道自己在讀什麼？怎麼讀？為何而讀？/ 荒木博行作；姜柏如譯 . -- 初版 . -- 臺北市：采實文化事業股份有限公司，2024.03

面；　公分 . --（翻轉學；126）

譯自：自分の頭で考える 書

ISBN 978-626-349-587-6（平裝）

1.CST: 閱讀 2.CST: 閱讀指導

019.1　　113001056

采實出版集團
ACME PUBLISHING GROUP

翻轉學

翻轉學